100 Common Mistakes in Research Manuscript Preparation:
Practical Advice from an English Editing Company

英文校正会社が教える
英語論文のミス "100"

エディテージ=著
editage
熊沢美穂子=訳
Mihoko Kumazawa

The Japan Times

はじめに

　エディテージは、世界規模で英文校正と著者への出版サポートを行なう企業です。学術出版界にさまざまな変化が起こるなか、私たちは十数年にわたり、英語を母語としない著者たちが向き合う困難への理解を深めてきました。

　英文校正会社のもとには、出版を目指す論文が日々送られてきます。校正者はジャーナル編集者や査読者より先に原稿を読む第一の読者とも言えるでしょう。私たちは書き上げられたばかりの論文をチェックするなかで、どんなポイントで間違いが起こりやすいのか、アクセプトされるには論文をどうブラッシュアップすべきなのかといった知識を分野を超えて蓄積してきました。

　本書では、創業以来培ってきたこのノウハウをまとめ、日本人研究者がおかしがちなミスを解説しながら、よりよい英語論文を書くための実践的なアドバイスを紹介しています。多くの研究者の方にとって有益な本にするため、執筆前に日本人著者の論文100本を分析し、発生頻度の高いミスを厳選しました。各ミスには、分析の結果にもとづくミスの発生頻度と、私たちの経験にもとづく重要度をそれぞれ示しています。

　世界に向けた研究成果の発信は著しく増えており、とくにかつて論文出版点数が微々たるものでしかなかった国々での増え方には、目を見張るものがあります。また、著名な国際ジャーナルの多くは膨大な数の投稿論文を取り扱い、迅速な出版を求める声に応えようと奮闘しています。こうした流れのなかで、アクセプトの基準は必然的に厳しくなります。「論文を出版しなければ」と

焦る研究者へのプレッシャーは高まるばかりです。

　論文出版に対する重圧は、世界中の研究者が感じていますが、日本のように英語を母語としない国の研究者たちにとって、それはいっそう強まります。しかし、英語が共通語であるグローバルな学術界で、多くの日本人研究者が言語の壁を克服し、自分たちの業績にふさわしい存在感を示そうと努力していることも確かな事実でしょう。

　私たちは、研究者の皆さんが出版に必要な知識を身につけ、国際英文ジャーナルに論文を掲載しやすくするための支援に情熱を傾けています。

　その一環として、論文投稿・出版に関する最新の情報を発信する総合ポータルサイト、エディテージ・インサイトを運営するほか、さまざまな国で英語論文執筆に関するセミナーやワークショップを開催してきました。本書はこうした活動の結晶の１つです。

　スピードが以前にも増して求められる現在、研究活動のすべてを１人でこなすのは難しくなっています。充実した研究を効率的に進めるためにも、私たち英文校正会社のサポートをぜひ利用してください。

　本書が読者の皆さまにとって身近で役立つ一冊になることを心から願っています。

Contents

はじめに 2
本書の構成と使い方 11
分析！日本人研究者のミス 14

Chapter 1　論文を書く前に

1 先行研究を徹底的に洗い出す 20

■ケーススタディ 20
ミス1　先行研究の調査が不十分 20
■効果的な文献検索の戦略をたてるためのヒント 21

2 倫理問題をクリアする 24

■ケーススタディ 24
ミス2　インフォームド・コンセントや
　　　　倫理委員会の承認を得ていない（研究段階） 24
ミス3　著者資格のない人を共著者にする（出版の計画段階） 26
ミス4　自己剽窃する（執筆段階） 27
■重大な倫理的問題を回避するためのヒント 28

3 出版計画をたてる 31

■ケーススタディ 31
ミス5　論文出版の準備や見通しが不十分 31
■適切な出版計画をたてるためのヒント 32

4 ジャーナルを選ぶ ……………………………………… 36
- ■ ケーススタディ ……………………………………… 36
- ミス6 ジャーナルの目的と対象領域を無視する …………… 36
- ■ ジャーナル選びのヒント …………………………… 37

5 論文出版に関するFAQ …………………………… 42
- ■ Dr. Eddyに質問しよう！ …………………………… 42

Chapter 2　論文執筆中のミス

1 英語と専門表現のミス ………………………………… 46
- ■ 文法のミス …………………………………………… 46
- ミス7 aとanを使い分ける際の落とし穴 ………………… 46
- ミス8 単数の可算名詞にa/anがついていない ………… 50
- ミス9 不可算名詞にa/anがついている ………………… 52
- ミス10 定冠詞theがついていない ……………………… 53
- ミス11 不要なtheがついている ………………………… 60
- ミス12 前置詞が使い分けられない ……………………… 64
- ミス13 過去の研究を引用する際の時制がおかしい ……… 67
- ミス14 研究目的を記述する際の時制がおかしい ………… 70
- ミス15 主語と動詞の呼応がおかしい …………………… 72
- ミス16 誤解を招く態の使用 ……………………………… 74

- ミス17　他動詞の目的語が抜け落ちている　……………………………………　76
- ミス18　自動詞を受動態で使う　……………………………………………　78
- ミス19　語順や、句や節の位置がおかしい　………………………………　79
- ミス20　品詞の種類を間違える　……………………………………………　83
- ミス21　代名詞が何を指すのかわからない　………………………………　86
- ミス22　関係代名詞のwhichとthatを使い分けられない　………………　88
- ミス23　不可算名詞を数えてしまう　………………………………………　90
- ミス24　名詞の単数形と複数形の落とし穴　………………………………　92
- ミス25　形容詞を複数形にしてしまう　……………………………………　94
- ミス26　項目列記の際にandが抜けている　………………………………　95

■ 文構造のミス ……………………………………………………………… 96

- ミス27　比較対象が不合理　…………………………………………………　96
- ミス28　修飾句・修飾節の位置が不適切　…………………………………　99
- ミス29　並列構造が崩れている　…………………………………………… 102

■ 文体のミス ………………………………………………………………… 104

- ミス30　繰り返しや冗長な表現がある　…………………………………… 104
- ミス31　修飾語が多すぎる　………………………………………………… 107
- ミス32　動詞がなかなか登場しない　……………………………………… 109
- ミス33　大げさな言いまわしを使う　……………………………………… 111
- ミス34　不要な形式主語構文やthere構文を使う　………………………… 113
- ミス35　文が長く複雑　……………………………………………………… 116
- ミス36　インフォーマルな語句を使う　…………………………………… 118
- ミス37　人を主語にすべき文で無生物を主語にしている　……………… 121

■ 単語の使い方のミス ……………………………………………………… 122

- ミス38　似た発音や意味を持つ語を混同する　…………………………… 123
- ミス39　存在しない単語を使う　…………………………………………… 129
- ミス40　派生語の意味を誤解している　…………………………………… 131
- ミス41　コロケーションがおかしい　……………………………………… 133
- ミス42　フォーマルさを意識して不正確な単語を使う　………………… 136

| ミス43 | 偏見を含む言葉を使う | 138 |

■ 見直し不足によるケアレスミス …………………………………… 140
| ミス44 | つづりが不正確 | 140 |
| ミス45 | イギリス英語とアメリカ英語が混在している | 142 |

■ 専門用語のミス ………………………………………………………… 144
ミス46	誤った専門用語を使う	144
ミス47	統計用語の誤用	147
ミス48	略語が定義されていない	148
ミス49	1度しか使わない語句を略語にする	150
ミス50	不要な略語を作る	152
ミス51	必要な情報の欠如	154

■ 科学表現のミス ………………………………………………………… 156
ミス52	スペルアウトすべき数字がアラビア数字になっている	156
ミス53	数字と単位の間にスペースがない	158
ミス54	不合理な単位を使う	159
ミス55	単位をスペルアウトするルールにしたがっていない	160
ミス56	主語と動詞の呼応がおかしい（主語が単位の場合）	161

■ 論理のミス ……………………………………………………………… 162
| ミス57 | 論理が破綻している | 162 |
| ミス58 | 転換語の使い方を誤って覚えている | 166 |

■ 句読法とキャピタライゼーションのミス ……………………………… 169
ミス59	カンマ・スプライス	169
ミス60	混乱や誤読を招くカンマの欠如	171
ミス61	カンマの使いすぎ	173
ミス62	混乱や誤読を招くハイフンの欠如	175
ミス63	不必要にハイフンを使う	178
ミス64	コロンではなくセミコロンに続けて事項を列記する	181
ミス65	セミコロンに関するその他のミス	182
ミス66	ピリオドの使い方がおかしい	184

ミス67　キャピタライゼーションのルールにしたがっていない ………… 185

2 論文の構成と体裁に関するミス …………………………… 188

■論文全体によくあるミス ………………………………… 188
ミス68　提示された情報に矛盾がある ………………………… 188
ミス69　小見出しの順番が不合理 ……………………………… 191

■タイトルのミス ……………………………………………… 193
ミス70　タイトルが曖昧 ………………………………………… 193
ミス71　タイトルが長すぎる …………………………………… 194

■アブストラクトのミス ……………………………………… 196
ミス72　構成が論文全体の流れに沿っていない ……………… 196
ミス73　重要な情報の欠如 ……………………………………… 199

■イントロダクションのミス ………………………………… 201
ミス74　背景に一貫性がない …………………………………… 201
ミス75　理論的背景と研究目的が不明瞭 ……………………… 203
ミス76　必要以上に結果について述べる ……………………… 205
ミス77　先行研究を詳細に書きすぎる ………………………… 207

■材料と方法のミス …………………………………………… 209
ミス78　材料や被験者の情報が不十分 ………………………… 209
ミス79　研究デザインや方法の情報が不十分 ………………… 212
ミス80　データの分析方法に関する情報が不十分 …………… 214
ミス81　倫理に関する情報の欠如 ……………………………… 215

■結果のミス …………………………………………………… 217
ミス82　実験方法が書いてあるのに結果が書かれていない … 217
ミス83　データを無駄に記載する ……………………………… 218
ミス84　結果セクションに考察も書く ………………………… 219

■考察のミス …………………………………………………… 220
ミス85　先行研究について過剰に説明する …………………… 220
ミス86　既知の情報に照らした考察が不十分 ………………… 221

ミス87	結果の矛盾や研究の制約に関する考察が不十分	222
ミス88	結果をむやみに繰り返す	223
ミス89	話の進め方がわかりにくい	224
ミス90	研究結果の意義が曖昧	225

■ 図表のミス … 226

ミス91	図表タイトルが曖昧	226
ミス92	ラベルや行列見出しの漏れや間違い	228
ミス93	図表に必要な情報が欠落している	229
ミス94	不要な図表がある	230
ミス95	図の凡例が不完全	231

■ フォーマットとレイアウトのミス … 232

ミス96	フォーマットに統一性がない	232
ミス97	欧文以外のフォントが使われている	234
ミス98	正しい記号や文字を使っていない	235
ミス99	参考文献リストのミス	236

Chapter 3　論文を書き終えたら

1　英文校正・翻訳サービスを使う … 238

- ■ なぜ英文校正・翻訳サービスを使うのか … 238
- ■ 英文校正サービスの上手な使い方 … 239
- ■ 翻訳サービスの上手な使い方 … 242

2　投稿パッケージの準備 … 245

- ■ ケーススタディ … 245
- ミス100　投稿パッケージが不完全 … 245

3 ジャーナルとのコミュニケーション ……………………………… 251

- ■ 投稿前の問い合わせ …………………………………………… 251
- ■ 原稿のステータスの追跡 ……………………………………… 252
- ■ 査読コメントへの対応 ………………………………………… 254
- ■ 再投稿 …………………………………………………………… 257

4 ORCIDやソーシャルメディアで露出度を高める ……… 259

- ■ ORCIDとは何か ………………………………………………… 259
- ■ ソーシャルメディアを活用する ……………………………… 260

5 論文投稿とジャーナルとのコミュニケーションに関するFAQ …………………… 262

あとがき ……………………………………………………………………… 265

問題にトライ　解答・解説 ………………………………………………… 266

Appendix　チェックリストとテンプレート …………………………… 275

Chapter 1と3の内容の多くは、エディテージの著者向け啓発サイト、エディテージ・インサイトの記事を加筆修正したもの、Chapter 2は書き下ろしです。本書に掲載したケーススタディは、フィクションまたはエディテージ・インサイトで紹介した事例を再構成しました。

編集協力 ──────── 斉藤敦、Nicholas Walker（ロゴポート）
装丁・本文デザイン ── 相京厚史・大岡喜直（next door design）
装画 ─────────── 龍神貴之
組版 ─────────── 株式会社創樹

本書の構成と使い方

● **本全体の構成**

本書は、日本人著者の英語論文によくある100のミスについて、わかりやすい具体例を挙げながら解説し、よりよい論文を書き上げるための力を身につけることを目指しています。

論文執筆前から執筆後までのミスについて論じた3つのChapter（章）と、チェックリストやテンプレートを収録したAppendix（付録）から構成されています。

▶ **Chapter 1　論文を書く前に**

先行研究のレビュー、倫理に関するガイドラインの順守、出版計画の立案、ジャーナルの選択など、論文執筆前に考えるべきことについて、ケーススタディをもとに解説します。

▶ **Chapter 2　論文執筆中のミス**

本書の大部分を占めるこの章では、執筆中のよくあるミスについて解説します。文法的な誤りや、単語の使い方・科学表現に関するミス、論文のセクション別ミスなどを誤りの例を挙げて説明していきます。この章は、日本人研究者の100本の論文を分析したデータにもとづいて書かれており、この分析の詳細については、p.14以降の「分析！　日本人研究者のミス」で述べています。

▶ **Chapter 3　論文を書き終えたら**

この章では、執筆後の注意点について解説します。英文校正や翻訳といった著者向けサービスの使い方、投稿パッケージの準備、ジャーナルとのコミュニケーション、研究者としての露出度を高めるための各種ツールの利用などについて述べています。

▶ **Appendix　チェックリストとテンプレート**

倫理問題や投稿時に確認すべきポイントをまとめたチェックリストや、カバーレターのテンプレートなどを収録しています。

本書は出版プロセスの流れに沿って構成されていますが、それぞれのChapterは独立しているので、順序に関係なく、興味や関心のあるChapterから読むことができます。また、Chapter内の各ミスも独立しているので、好きなところから読むことが可能です。

● **本文ページ**

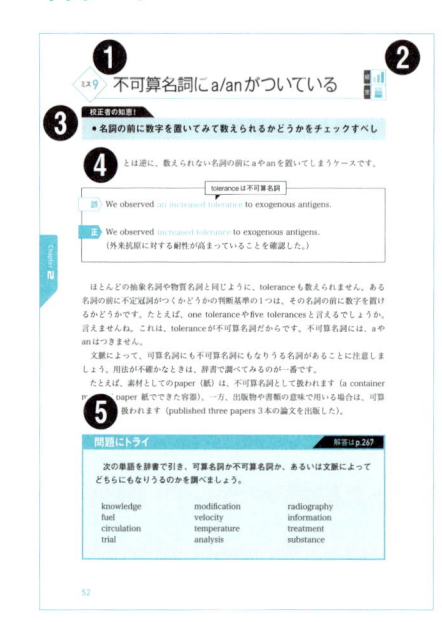

▶ ❶ミス番号と見出し

1から100までのミスの番号とミスの内容を示しています。

▶ ❷ミスの発生頻度と重要度

　日本人研究者の論文の分析結果から得られたミスの発生頻度と、校正者の経験にもとづく重要度をそれぞれ3段階で示しています。これら2項目については、「分析！日本人研究者のミス」で詳しく説明しています。

▶ ❸校正者の知恵！

とりあげているミスを防ぐために意識したいポイントを紹介しています。

▶ ❹ミスの例

　誤った例と正しい例を併記しています。例文は、実際に研究論文で目にするようなものを用いました。専門性の高い例文ですが、あらゆる分野の人が理解できるようにミスの説明をしています。例文は、一から作ったものと、実際の論文を参考にして書いたものがあります。

　ミスの内容によっては、誤文と正文ではなく、避けるべき文と好ましい文などを比較しているものもあります。

▶ ❺問題にトライ

　ミスの内容を理解できているかどうかを試す問題です。解答は巻末に掲載しています。

▶ ❻Column

　論文を執筆するにあたって覚えておきたい語句や、論文の書き方についてのコツを紹介するコラムです。

分析！　日本人研究者のミス

　本書の大部分を占めるChapter 2は、英文校正を受ける前の日本人の論文を分析した結果にもとづき、日本人が間違いをおかしやすいポイントについて解説しています。ここではその分析内容と結果について紹介します。

●分析の対象と方法

　日本人が英語論文を書く際によくあるミスの頻度と傾向を知るために、2015年1月〜3月に日本人著者から校正の依頼を受けた論文のうち100本のサンプル論文を選び、それらを対象に分析を行ないました。日本人著者から校正の依頼を受ける論文のおよそ6割が医学およびライフサイエンス分野のものであることから、100本のうち60本の論文はその2分野から選び、残りは、心理学およびメンタルヘルス分野（30本）と、物理科学分野（10本）から選びました。

　ジャーナル査読者からの指摘がもっとも多いミスは、ネイティブのような英語力がないことから起こる英文ライティングに関するミスです。これをふまえて、100本中85本の論文では、英語や専門表現のミスを分析しました（85本のうち、医学およびライフサイエンスが50本、心理学およびメンタルヘルスが25本、物理科学が10本）。分析の際には、85本の各論文からそれぞれ1000ワード分の文章を、アブストラクト、イントロダクション、方法、結果、考察のいずれかのセクションから無作為抽出し、すべてのミスをカウントし、ミスの種類によって分類しました。Chapter 2の「1 英語と専門表現のミス」はこの分析結果にもとづいています。

　100本中15本の論文については、論文の構成と体裁について分析しました（15本のうち、医学およびライフサイエンスが10本、心理学およびメンタルヘルスが5本）。十分な長さのある原著論文のみを分析対象としましたが、この2つの分野のみを対象としたのは、これらの分野で論文形式がほぼ同じであるためです。こちらも、論文の各セクションすべてのミスをカウントし、分類しました。Chapter 2の「2 論文の構成と体裁に関するミス」はこの分析結果にもとづいています。

●ミスの発生頻度と重要度の表示について

それぞれのミスについて、本書では、分析結果にもとづき発生頻度を以下のように3段階で分類し、表示しています。バーの数が多いほど、日本人研究者が間違いやすい項目です。

英語と専門表現のミス

頻度表示	論文にそのミスがある割合
頻 ▂▄▆	60%以上
頻 ▂▄	30%〜59%
頻 ▂	30%未満

論文の構成と体裁に関するミス

頻度表示	論文にそのミスがある割合
頻 ▂▄▆	40%以上
頻 ▂▄	20%〜39%
頻 ▂	20%未満

重要度は、そのミスによって読みやすさが損なわれる度合いと、ジャーナル編集者や査読者から否定的なコメントが出る可能性の高さから、主観的に判断し、以下のように3段階で示しています。

重要度表示	意味
重 ■■	ノンネイティブに特有の大きなミス、または理解の妨げになり混乱をもたらすような大きなミス
重 ■	深刻ではないものの、査読者から指摘される可能性のある明らかなミス
重 _	読みやすさ、意味の明瞭さ、見ばえに大きな影響のない、些細なミス

図表、参考文献、フォーマットやレイアウトなどに関するミスは、論文によっては該当する部分がなく、すべての論文に共通するものではないため、発生頻度の分析対象としませんでした。しかし、それらに関連するミスもまたよく見受けられるものであるため、項目をたてて説明しています。また、Chapter 1とChapter 3で紹介するミスについても分析対象としなかったため、頻度を記載していません。

これらの項目については、以下のように示しています。

頻 no data

● 日本人研究者のミスの傾向

分析の結果、日本人研究者のミスは以下の①〜⑥に分けられることがわかりました。

日本人研究者によるミスの内容（%）

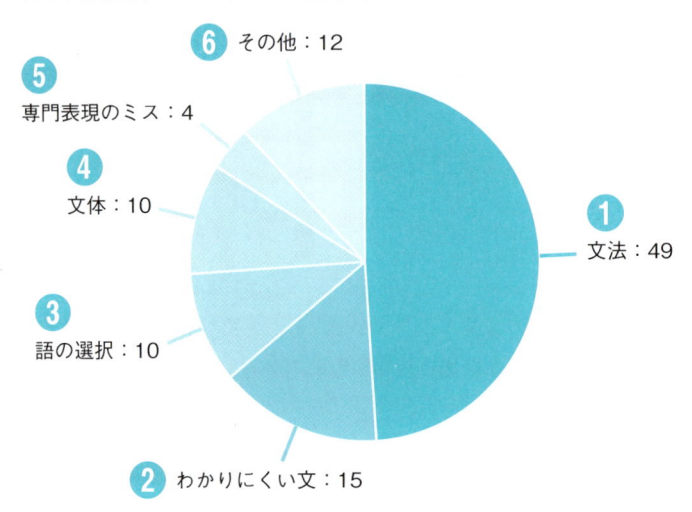

- ① 文法：49
- ② わかりにくい文：15
- ③ 語の選択：10
- ④ 文体：10
- ⑤ 専門表現のミス：4
- ⑥ その他：12

① **第1位　文法ミス**

もっとも多いミスは文法のミスです。なかでも以下のグラフが示すように、冠詞と前置詞に関するミスが多く見られます。これらのミスが多いのは、単に登場回数が多いからだけではありません。動詞も頻出する品詞ですが、主語と動詞の呼応や、時制に関するミスは、両方合わせてもすべての文法ミスのうちのたった10%です。これは、主語と動詞の呼応や時制が、比較的わかりやすいルールにもとづいている

文法ミスの内訳（%）

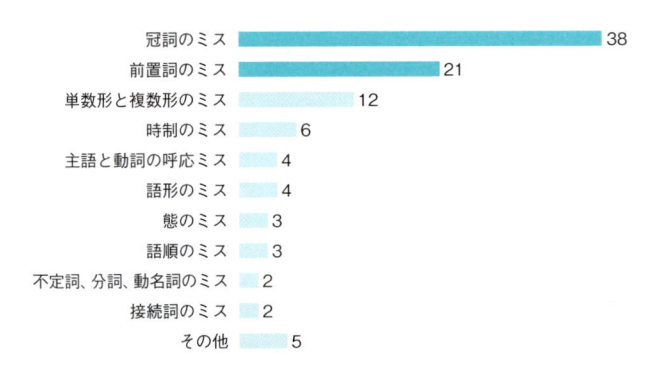

- 冠詞のミス：38
- 前置詞のミス：21
- 単数形と複数形のミス：12
- 時制のミス：6
- 主語と動詞の呼応ミス：4
- 語形のミス：4
- 態のミス：3
- 語順のミス：3
- 不定詞、分詞、動名詞のミス：2
- 接続詞のミス：2
- その他：5

ためでしょう。対照的に、冠詞と前置詞の用法は文脈に大きく左右されます。これらをネイティブ並みに使いこなすには、膨大な読み書きの経験が必要とされます。したがって、冠詞と前置詞の用法のミスがもっとも多くなってしまうのです。

❷ 第2位　わかりにくい文

わかりにくい文を書いてしまうのは、著者が構文よりも内容に気をとられてしまった結果です。このため、文法的には正しいように見える文でも、不合理で読者を混乱させる文になってしまっています。わかりにくい文に関するミスの内訳は右のとおりです。

わかりにくい文に関するミスの内訳（%）

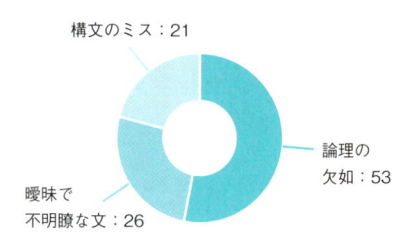

- 構文のミス：21
- 曖昧で不明瞭な文：26
- 論理の欠如：53

❸ 第3位　語の選択のミス

ノンネイティブによる単語の選択ミスは、必ずしもボキャブラリーの乏しさによるものではありません。日本人著者は、似たような意味や発音を持つ単語を混同してしまうことがよくあります。単語の意味のニュアンスを知るための辞書の活用方法を知らない著者も多いようです。

❹ 第3位　文体ミス

文体に関する問題には、冗長な言いまわし、長く複雑な文などがあります。これは、ライティングスキルの未熟さや、優れた文章への誤解（たとえば、長くて複雑な文のほうがシンプルな文よりも格調が高いとする誤解）からくるものです。

❺ 第4位　専門表現のミス

右のグラフは、専門表現に関するそれぞれの分野のミスの特徴を表しています（分野に特有のミスを表すものではありません）。たとえば心理学の分野では、単位や数値のミスの割合はもっとも少なくなっています。これは、心理学では単位や測定結果を述べるケースが少ないためです。一方、単位や測定結果を述べることが多い物理科学分野では、これらのミスの割合がより大きくなっています。

専門表現に関する分野ごとのミスの内訳（%）

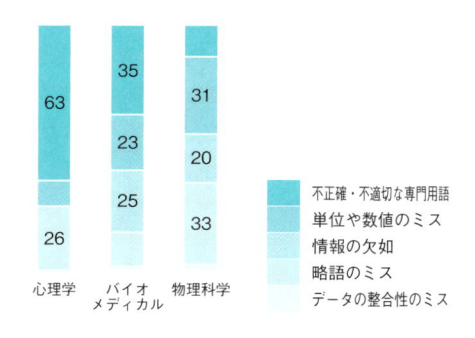

心理学：63、26
バイオメディカル：35、23、25
物理科学：31、20、33

- 不正確・不適切な専門用語
- 単位や数値のミス
- 情報の欠如
- 略語のミス
- データの整合性のミス

6 **その他のミス**

これには句読法や誤字といったさまざまなミスが含まれます。

また、論文セクションごとにミスを見てみると、以下のような結果が得られました。

イントロダクションと考察は執筆の難易度が高い
イントロダクションと考察は、もっともしっかり書かれていなければならないセクションです。アイデアを論理的につなげ、得られた結果と理論的根拠について、自分の言葉で説明することが求められます。

論文のセクションごとのミスの割合（%）

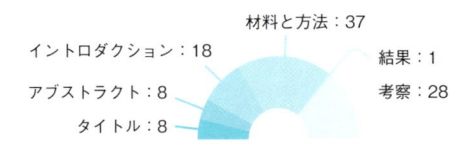

材料と方法：37
イントロダクション：18
結果：1
アブストラクト：8
考察：28
タイトル：8

●頻度と重要度の高いミスに注意する

　日本人著者のなかには、英語ネイティブではないにもかかわらず、基本的な英文法の理解度が極めて高い人が多数います。しかし、ジャーナルによる査読で、読みやすさの点で合格点をもらえるかどうかとなると話は別です。日本人著者は、執筆に際して膨大な情報を扱ううちに、どこに注意すればよいかがわからなくなって混乱してしまうようです。
　また、英語の参考書で得た知識を論文執筆に活かすことにも苦労するようです。というのも、専門的な文章の執筆には、一般的な文章を書くこととはまた違った難しさがあるからです。
　分析結果にもとづくミスの頻度と私たちの経験にもとづく重要度という2つの指標は、執筆時に何を優先的にとり組むべきかを知るのに役立つはずです。

Chapter **1**

論文を書く前に

論文を出版するためには、ただ論文を書いてジャーナルに投稿する以外にも、多大な労力を必要とします。原稿を書きはじめる前にも、多くの下準備と洞察が必要なのです。この準備作業の1つ1つにシステマティックに対処すれば、論文の信頼性と質が高まるだけでなく、論文投稿プロセスが効率的でストレスの少ないものになり、その分、スムーズで迅速な出版が可能となるでしょう。

この章では、ケーススタディを参考に、論文を執筆する前に行なうべき重要な作業に関するガイドラインを紹介します。

1 先行研究を徹底的に洗い出す

詳細な文献レビューを行なうことで、ジャーナル編集者や査読者は、著者に対して次のような好印象を持ち、論文の重要性を評価してくれる可能性が高まります。

- その分野で過去に行なわれたあらゆる重要な研究について、十分な知識を持っている。
- どの先行研究が真に科学的な有効性を持ち、なおかつ自分の研究課題に関連しているかを見極めるための、十分な判断力を備えている。
- (先行研究のレビューによって信頼性が高まった結果) 総合的に判断して、この著者の研究には注意を払うだけの価値があり、ジャーナルが労力をかけるだけの価値がある。

先行研究を徹底的に洗い出すことは、論文執筆の準備として非常に重要ですが、これは一朝一夕にできるものではありません。以下の事例がそのことを示しています。

■ケーススタディ

ミス1 先行研究の調査が不十分

校正者の知恵！
- 先行研究を探す際は適切なキーワードとその言い換え表現を選んで徹底的に検索すべし
- 分野別の複数のデータベースを検索すること。データベースや出版社のアラート機能を活用し、文献を見逃さないようにすべし

- 見つけた論文のなかで引用されている論文を確認すること。また、見つけた論文を引用している論文も確認すべし
- 参考資料の信頼性さえ確認できていれば、特定の出版形式にこだわる必要はない

地球物理学者、渡辺氏の場合

　地球物理学者の渡辺氏と彼の同僚たちは、その分野の一流ジャーナルに研究成果を発表しようと考えています。彼らは研究をはじめる前に、研究テーマに関するオンライン検索を広範囲に行ないました。
　論文には、文献検索を実施した際に見つけた重要な論文のほとんどを、参考文献として記載しました。完成した論文を投稿したところ、初回判定の結果についてジャーナル編集者から次のような連絡がありました。
　「著者が参照した文献には、査読つきジャーナルが十分に含まれていません。最近の研究を掲載したジャーナルの論文を、原稿に追加する必要があります。論文修正後、あらためて投稿し直してください」
　渡辺氏と同僚たちは、研究成果の発表が遅れ、論文が査読にもたどりつかなかったことにがっかりしました。

この事例では、何が問題だったのでしょうか。

- 渡辺氏はおそらく、関連するテーマを広範囲にオンライン検索で確認しただけで、出典の信頼性について考慮しなかった。
- 研究前に行なった文献検索と論文投稿時の時間差を考慮しなかった。この間に、ほかの研究者がこのテーマに関連する結果を発表した可能性がある。そのため編集者は、最近の参考文献が少ないことを指摘した。

それでは、どのように文献を探し出せばいいのかを具体的に探っていきましょう。

■効果的な文献検索の戦略をたてるためのヒント

●キーワードを決める

　文献を検索する際は、具体的なキーワードを使いましょう。研究テーマをいくつか

の主要なコンセプトに分解し、各コンセプトのキーワードを決めます。

また、各キーワードの同義語や別の表現も追加します。こうすることで、言葉の些細な違いによって重要な論文を見逃すことがなくなります。

●複数のデータベースを検索する

信頼できる複数の学術研究データベースを検索し、あらゆるデータベースを漏れなく検索しましょう。各データベースは、独自にどのジャーナルの論文をインデックス（収載）するかを決めています。1つのデータベースしか検索しなければ、関連する論文を見逃す可能性があります。学術論文の検索に広く使われているデータベースには、PubMed、Scopus、Web of Science、Google Scholarなどがあります。

さらに、データベースに備わった高度な検索機能を使うことで、絞り込み検索も可能です。

●引用文献をさかのぼる

関連するジャーナル論文を特定できたら、それらの参考文献リストを見て、さらに先行研究を探します。関連論文の参考文献は、あなたの研究にも大いに関係があるはずです。

そのほかに、見つけた論文を引用している論文を読むのもよいでしょう。これは、引用されている研究を参考にして行なわれた、より最近の研究を探すのに役立ちます。

●文献管理ソフトを使う

研究論文の数は膨大なので、参考文献を手作業でまとめるのはもはや不可能です。EndNote（有料）、Mendeley（有料）、Zotero（無料）などの文献管理ソフトを使いましょう。

文献管理ソフトを使えば、ジャーナルのウェブサイトから、ワンクリックでコンピュータに論文を直接ダウンロードして保存できます。論文を整理し、参考文献リストをまとめるのも格段に楽になります。

●アラート機能を活用して、最新の文献を見逃さない

多くのデータベースや出版社が、Table-of-Contents（TOC、目次）アラート、引用文献アラート、キーワードアラートのようなアラート機能サービスを提供しています。これらのアラートサービスは、新たに発表される論文や研究テーマを見逃さない

ために、大変便利です。その多くは、新しく発表された論文のタイトルと著者名、あるいはアブストラクトのリストをメールで受信できるのでぜひ活用しましょう。

● **学術的な信頼性に注意し、あらゆる出版形態の文献を探す**

　入手した論文が、査読つきジャーナルに掲載されたものかどうかを確認しましょう。査読は学術出版において広く信頼された評価方法であり、選別のプロセスです。よって、参考文献のなかに査読つきジャーナルに掲載された論文をある程度含めることで、論文の信頼性が高まります。

　もちろん、査読つきジャーナル以外に掲載された論文は無視してもよいということではありません。書籍も、研究テーマの概要を示してくれる有効な参考文献です。

　従来の検索エンジン、データベース、蔵書目録では容易に得られない政府白書など、通常の出版流通ルートでは入手が困難な「灰色文献」も、有用な情報となります。

　プロシーディング（紀要、会議録）では、研究テーマに関する最新の知見や議論を知ることができます。たとえば、未公開の臨床試験について、すでに行なわれた試験とその結果についての情報を得ることが可能です。

　重要なポイントは、入手した資料の出版形態のクオリティが、科学的な信頼に足るものかどうかを確認することです。情報の信頼性に不安がある場合は、経験豊富な同僚に相談するか、あるいはこれらの情報がすでに引用されているかどうか、引用されているなら誰が引用しているのかを確認しましょう。

2 倫理問題をクリアする

> 倫理に関する問題は、長年バイオメディカル分野のジャーナルが経験してきたものです。しかし今や、あらゆる学術分野がこの問題に直面しています。どの分野も倫理問題を自分のこととして捉えるべきです。この問題は多くのジャーナルで増えているだけでなく、より複雑化しています。
>
> アイリーン・ヘイムズ（Irene Hames）博士＊

かつて研究や出版における倫理は、今日ほど重要視されてはいませんでした。たとえば、エドワード・ジェンナーが18世紀に実施したワクチン接種に関する有名な研究では、天然痘ワクチンを打たれた被験者のなかに、8歳の少年が含まれていました。研究者のなかには、当時倫理委員会があったならジェンナーの業績は認められていなかっただろうと主張する人もいます。

現在は当時と状況が異なり、あらゆる分野のさまざまな倫理的問題を扱う厳格なガイドラインが存在します。それにもかかわらず、研究段階においても研究内容を出版する段階においても、倫理違反がなくなる気配はありません。

倫理違反には、出版へのプレッシャーから意図的に行なわれるものと、研究して報告するという行為の根幹にある倫理的な基本事項を知らずに、意図せずに行なわれるものがあります。後者のケースは、経験の浅い研究者によく見られます。

ここでは、研究段階、出版の計画段階、執筆段階という3つの段階でのよくあるミスについて説明します。

■ケーススタディ

ミス2 インフォームド・コンセントや倫理委員会の承認を得ていない（研究段階）

頻 no data
重

校正者の知恵！

- インフォームド・コンセントや倫理委員会の承認は必須。ジャーナルのガイドラインをよく確認すべし

＊出版倫理委員会（COPE）が公開している Ethical Guidelines for Peer Reviewers（論文査読者のための倫理ガイドライン）の著者の1人。エディテージのインタビューで

臨床医、西村氏の場合

> 臨床医の西村氏とその同僚たちは、新しい創傷治癒法についての研究論文を書き上げました。その研究では、組織の倫理審査委員会の承認を得た上で、医療センターの患者たちに針穿刺（はりせんし）を行ないました。
>
> ところが論文を投稿したジャーナルから、原稿が送り返されてきました。その理由は、侵襲的処置を施すことについて患者からインフォームド・コンセントを取得したことが述べられておらず、倫理面で懸念があるというものでした。
>
> 西村氏はジャーナル編集者に対し、研究が倫理審査委員会の承認を得るだけでなく、患者の同意書も必要だとは知らなかったと説明しました。そして、さかのぼって患者から同意書を得れば、事態を改善できるかどうか尋ねました。
>
> 編集者の回答は、「あらゆる医学的検査のインフォームド・コンセントを事前に取得することは、たとえその検査が倫理審査委員会によって承認されたものであれ、倫理的要求事項として譲歩の余地のないものであり、患者からのインフォームド・コンセントを事前に取得した上で、実験を再度行なわない限り、論文は検討対象とはならない」というものでした。

西村氏と同僚たちは、貴重な数週間、数か月を失ったことになります。この編集者が言うように、実験を再度行なわない限り、論文を受けつけてくれるジャーナルはなさそうだからです。どうすればこのような状況を避けられたでしょうか。

- 研究を実施する前に、医学倫理と研究者として当然順守すべき標準的要求事項について幅広く調べるべきだった。このテーマに関する資料がすでに数多く存在することから考えて、知識が不十分であったことは、研究者にとって弁解の理由にはならない。
- ジャーナルのガイドラインを徹底的に確認し、要求事項を理解すべきだった。

ミス3 著者資格のない人を共著者にする（出版の計画段階）

頻 no data
重

校正者の知恵！

● 共著者の決定のために貢献度の基準に関する情報を集めるべし

新米分子生物学者、岩崎氏の場合

　分子生物学分野の新米研究者である岩崎氏は、自分が主要な貢献をした初めての論文を準備しています。研究中、同じ研究室のシニアのポスドク研究員がトラブルシューティングを助け、カギとなる実験をいくつか提案し、データの分析も手伝ってくれました。岩崎氏は、論文の共著者として彼の名前を含めたいと考えました。

　岩崎氏の指導教授は、細胞株など、この研究で使用した重要な研究材料を提供した共同研究者の名前も記載するよう求めました。この点はなんとなく腑に落ちなかったものの、彼女はポスドク研究員と共同研究者の名前を、2人の同意を得た上で共著者として記載し、論文をジャーナルに投稿します。

　投稿先のジャーナルは彼女に対し、研究における各著者の貢献度を詳述したコントリビューターシップフォームを提出するよう求めました。このフォームを精査したジャーナル編集者の判断は、共同研究者の著者資格は認められないが、ポスドク研究員が行なったことは著者資格に値するというものでした。

　岩崎氏は指導教授に相談し、編集者のコメントを見直した結果、共同研究者についてはAcknowledgments（謝辞）で触れることで合意しました。彼女は共同研究者に状況を説明して問題を理解してもらい、必要な修正を行なった上で、論文をジャーナルに再提出しました。

　論文に著者として掲載した人の名前を削除することは、大変デリケートな問題になる場合があります。上記の事例では、わだかまりを残すことなく解決し、出版に大幅な遅れが生じることもありませんでした。

　しかしながら、こうした状況が緊張状態を引き起こす場合もあります。岩崎氏の最初の直感は正しかったのです。研究に材料を供給しただけでは、著者資格を得ることはできません。著者資格を得ることができるのは、重要な知的貢献をした場合のみです。

　彼女は直感を信じ、オーサーシップの基準に関するより多くの情報を求め、論文を完成させる前に、懸念について指導教授と率直に話し合うべきでした。

ミス4 自己剽窃する（執筆段階）

校正者の知恵！

- 自身が行なった予備試験も、すでに発表済みのものは引用すべし

化学工学者、今井氏の場合

> 今井氏の論文が、化学工学系の一流英文ジャーナルに受理されました。彼は以前、標準化の実験を行なっており、英文誌ではない国内のジャーナルで、予備試験について発表していました。
>
> この研究についてある同僚と話しているとき、その同僚から「最新の論文にこの予備試験を引用したか」と尋ねられたので、今井氏は「引用していない」と答えました。すると同僚は、「それは自己剽窃または二重投稿とみなされる恐れがある。著作権の問題につながる可能性があり、発表後の最新論文を撤回することにもなりかねない」と説明しました。
>
> それまで問題の大きさに気づいていなかった今井氏は、改善策を講じることを決めます。原稿に必要な修正をすべて加え、ジャーナル編集者宛てに、論文の受理後に大幅な変更を行なわなければならない理由を正直に説明するレターを書きました。
>
> ジャーナル編集者は、再評価のために論文を査読者に再度送りました。1週間後、今井氏は、「著者による変更と説明に問題なし」とする査読コメントを受けとります。

これは、危機一髪だった事例です。そのままミスに気づかず、修正が行なわれなければ、今井氏は危うくキャリアと名声に傷をつけるところでした。

内容のオリジナリティは、必ずしも単純な問題ではありません。どのような形式であれ、自分がすでにどこかで発表した内容の一部あるいは全部が含まれていれば、オリジナルとはみなされない場合があることを覚えておきましょう。自身のオリジナルの研究を引用しなかった場合、極めて非倫理的な行為とみなされる可能性が高くなります。

今井氏が正しかったのは、ミスに気づいてすぐに行動を起こし、ジャーナルに正直に説明したことです。論文が一旦受理されたら、このケースのように重大なものでない限り、大幅な修正は受け入れないジャーナルがほとんどです。大幅修正の申し出は著者の信用を傷つける可能性があるので、そのような状況がそもそも最初から起こら

ないようにするのがベストです。

■重大な倫理的問題を回避するためのヒント

●研究段階

① 関連する倫理委員会の承認を得る

　動物やヒトを対象とする実験では、実験手順について、認定機関（通常は組織の倫理審査委員会）の事前承認を必ず得なければなりません。

　多くのジャーナルは、ヒトを対象とする実験についての審査委員会が存在しない場合、研究がヘルシンキ宣言にしたがって行なわれたことを述べるよう求めています。

② 被験者からインフォームド・コンセントを得る

　インフォームド・コンセントは、患者に対して行なわれる医学的検査の手順、リスク、メリットについて明確に説明し、患者自らの意思による同意を書面で得るものです。著名なジャーナルの多くは、適切に文書化されたインフォームド・コンセントが含まれていない原稿は拒絶しています。

③ 健全なデータを用いる

　一般的に、データのねつ造（データや結果をでっちあげること）やデータの偽造（研究の材料、設備、プロセスを操作したり、あるいはデータや結果を書き換えたり省いたりすること）は意図的行為であり、科学的な健全性の低さを示すものです。著者は、いかに些細なものであっても、データを自分の望む結果に沿わせたいという気持ちを抑え、いかなるデータにも決して手を加えてはなりません。

　しかし、ときには知らず知らずのうちに「データの加工」をしてしまう場合もあります。ジャーナルのガイドラインをよく確認し、データ（とくに画像）に対するどのような変更なら認められるのかを知ることが重要です。データを加工する前に、経験豊富な同僚に相談するのもよいでしょう。

●出版の計画段階

① 誰を著者にするかを検討する

　誰を著者（筆頭著者、共著者など）として掲載するかを決定するのに最適なタイミングは、論文を書きはじめる前の、出版がまだ計画段階にあるときです。さまざまな専門分野の研究者が関わる共同研究が増えているので、1論文あたりの著者の人数が増加し、オーサーシップの基準は複雑化しています。

著者資格に値する貢献の基準として、医学雑誌編集者国際委員会（ICMJE）が推奨する以下の項目が広く受け入れられています。*

- 研究のデザインコンセプトに関する重要な貢献を行なった者、または研究データの取得、分析、解釈を行なった者
- 論文の草稿を書いた者、あるいは重要な科学的内容について大幅な修正を行なった者
- 論文の発表について最終的な承認を行なう者

重要な貢献をしていないのなら、不適切に名前が掲載されないようにし、重要な貢献をしたのなら、それ相応に名前が掲載されるようにすべきです。

② サラミ法を避ける

サラミ法とは、1つの研究論文を「発表可能な最小限のかたまり」に分割し、同じ研究における複数の結果を別々の論文で発表することです。これは、いくつかの理由から、非倫理的行為とみなされます。もっとも重要な理由は、科学の存在意義を傷つけていることです。十分な情報が盛り込まれていない文献の数が増えることで、得られた一連の結果の重要性がむやみに誇張されることになるからです。

サラミ法によって、論文の引用回数が増える著者がいるかもしれませんが、このような行為が露見した場合、その著者の評判にはとり返しのつかない傷がつくことになります。

データの分割も避けましょう。論文の数よりも、質にこだわることが大切です。

● 執筆段階

① 剽窃を避ける

すでにほかの人が使ったアイデア、言葉、内容を、適切に出典を明記せずに使うことは、極めて非倫理的な行為とみなされます。不本意な剽窃行為を避けるための方法は、次のとおりです。

- アイデア、方法、得られた結果など、過去に発表されたものは、いかなる情報であれ（たとえ自分の論文であっても）、必ずその出典を明記する。
- ある著者の言葉をそのまま引用するときは（人文系ではよくあるが、自然科学

---

* http://www.icmje.org/recommendations/browse/roles-and-responsibilities/defining-the-role-of-authors-and-contributors.html

ではまれ)、引用符で囲むなどした上で、出典を明記する。
- ほかの著者が書いた文章を別の言葉で言い換えるときは、自分自身の言葉を使うよう注意した上で、出典を明記する。
- 参照した事実あるいは技術が「一般的な科学知識」であるように思われる場合も、必ず原著者について触れる。

研究倫理や出版倫理に関するその他もろもろの問題を総合的に理解したい場合は、以下の資料がお勧めです。

- 出版倫理委員会のウェブサイトに掲載された情報や事例研究
 (COPE; http://publicationethics.org/)
- 米国研究公正局のウェブサイトに掲載された情報や事例の概要
 (ORI; https://ori.hhs.gov/)
- 医学雑誌編集者国際委員会（ICMJE）の統一投稿規定
 (ICMJE Recommendations)
- 論文の執筆・準備・投稿に役立つ情報をまとめたポータルサイト、エディテージ・インサイトに掲載された、出版倫理に関する記事・ビデオ・専門家へのインタビュー（http://www.editage.jp/insights/）
- リトラクション・ウオッチに掲載された論文撤回状況の説明
 (http://retractionwatch.com/)

問題にトライ

解答はp.266

次のうち、非倫理的行為とみなされるのはどれですか。

① ほかの著者の図を、許可を得ずにそのまま複製して使う。ただし出典は明記している。
② 研究が行なわれた学部の長であるという理由で、その人物を共著者として加える。
③ 論文で述べた患者あるいは被験者を特定する詳細情報を公表する。

3 出版計画をたてる

> 私は進み続けなければなりません。私の行く道には、つねに誰かがいるからです。レースについていくために、今行なっている研究をできるだけ早く発表しなければなりません。この研究という道での最高のスプリンターには、ベクレルやキュリーがいます。
>
> アーネスト・ラザフォード（Sir Ernest Rutherford）*

研究者がキャリアを維持していくためには、よい研究を続けるだけでなく、賢く出版計画をたてる必要があります。

適切な出版戦略を考えるということは、出版サイクルのさまざまなステップで浮上してくる問題を理解し、現実的にそれらに対処する方法を見つけることです。成功した研究者たちは、そのことを心得ています。ときに研究者は、失敗からこのことを思い知ることがあります。以下の事例を見てみましょう。

■ケーススタディ

ミス5 論文出版の準備や見通しが不十分

頻 no data
重

校正者の知恵！

- 論文の判定から掲載までの時間を考慮し、余裕のある出版計画をたてるべし

神経生物学者、田中氏の場合

まだ経験の浅い神経生物学者である田中氏は、ある研究を終えたばかりで、その結果を6か月以内に発表したいと望んでいます。その過程で、いくつかの困難に直面します。

---

* 母親に宛てた手紙からの抜粋。次の文献より引用。Baldwin, M. (2014). 'Keeping in the race': physics, publication speed and national publishing strategies in *Nature*, 1895–1939. *The British Journal for the History of Science, 47*, 257-279. doi: 10.1017/S0007087413000381.

- 彼女の論文は、当初候補として考えていた2誌からリジェクトされた。また、研究を終えてからすでに5か月がたっている。
- 第3候補のジャーナルを選び、急いで投稿するも、投稿規定の一部に沿っていないという理由で、論文が差し戻された。
- ジャーナルの規定に合うよう修正して再投稿したところ、論文は条件つきで受理され、査読コメントにもとづいて内容を大幅に修正するよう求められた。

彼女の論文が最終的に掲載されたのは、約2年後のことでした。

よりストレスの少ない方法で出版を実現するために、田中氏はどうすべきだったのでしょうか。

- 現実的かつ慎重に複数のジャーナルを選び、それぞれの優先度を決めるべきだった。
- 可能であれば、各ジャーナルが論文を判定して掲載するまでの期間についてデータを集め、予測をたてるべきだった。
- さまざまな作業（ジャーナルごとの要求事項と対象範囲に沿った原稿の準備、ジャーナルのコメントへの対応、査読者のフィードバックにしたがった論文の修正など）のために必要な時間と労力を考慮しておくべきだった。また、出版時期について、無理のない目標をたてるべきだった。

■ 適切な出版計画をたてるためのヒント

　ジャーナルに論文を投稿してから受理（アクセプト）されるまでの時間はじつにさまざまで、数か月から3、4年までの開きがあります。なぜそれほど長くかかるのでしょうか。それは、初めて投稿するジャーナルからは、アクセプトされるより、不受理（リジェクト）になるのが普通だからです。
　実際、1つの論文が最終的にアクセプトされるまでに3回も4回もリジェクトされることは珍しくありません。ジャーナルに論文を掲載したいと望むなら、リジェクトされたり、大幅な修正を求められたりする可能性を考慮に入れておく必要があります。それをふまえた上で、出版計画をたてましょう。
　出版計画をたてる際に考慮すべきことと、とるべき行動は、次のとおりです。

●論文の形式を決める

　論文をまとまった長さの原著論文として書くか、短報や技術報告として書くかを決めます。研究全体はまだ終わらないけれども、得られた結果の一部の発表を急ぐという場合は、迅速な出版を目指す速報が最適な形式でしょう。

　単に、あるジャーナルで出版したいからというだけの理由で、内容にふさわしくない形式で研究をまとめ上げることは避けましょう。

●ジャーナルの傾向を判断し、投稿先をリストアップする

　論文の投稿先は、少なくとも5誌はリストアップしておきましょう。すでに説明したとおり、初めて投稿するジャーナルに論文がアクセプトされる確率は低いからです。投稿先をリストアップする際は、さまざまな要素を考慮する必要があります。

　たとえば、一流誌に掲載されることがもっとも重要である場合はどうすべきでしょうか。運試しとして一流のジャーナル3誌に挑戦し、残り2誌では目標を下げるとよいかもしれません。

　あるいは、一流誌での出版を望むものの、出版まで1年も2年も待つリスクは負いたくないかもしれません。その場合は、まず一流誌に投稿し、徐々にターゲットを下げていくとよいでしょう。リストの下のほうに行くほど、アクセプトされる確率が高くなるような選択肢にしましょう。

●ジャーナルの投稿規定を厳守する

　投稿規定はジャーナルごとに異なります。全著者が出版に同意していることを述べたカバーレター1枚で十分というジャーナルもあれば、指定する同意書に全著者がサインすることを求めるジャーナルもあります。指定の執筆形式や書式のガイドライン、または推奨するスタイルガイドにしたがうよう求められることもあります。このように、論文を書き終えてからジャーナルに提出する準備を終えるまでには、1週間〜1か月程度かかる可能性があります。

　また、別のジャーナルに再投稿する場合、そのジャーナルの投稿規定にしたがって原稿を書き直す時間も考慮に入れておかなければなりません。

　投稿しようとするジャーナルをリストアップする際は、それらのジャーナルの指定フォーマットが、あまりにも違いすぎることのないよう注意しましょう。

　たとえば、あなたの論文が5000ワードなら、語数制限が3000ワード以下というジャーナルは避けたほうがよいでしょう。ワード数を減らせば、質の低下につながるからです。

● 投稿前の問い合わせを有効に活用する

　多くのジャーナルには、アブストラクトや短いサマリーを提出すると、そのテーマや研究に興味があるかどうかの意見を前もって聞けるという仕組みがあります。もしあなたの選んだジャーナルにこの仕組みがあれば、それを利用しない手はありません。ジャーナルが興味を持たなければ、そのジャーナルへの投稿そのものをとりやめて、時間と労力を節約することができます。

● ジャーナルの判定にしたがって原稿を書き直すための時間を見積もる

　ジャーナルの判定は、おもに以下の4つのカテゴリーに分けられます。それぞれの場合に備えておくことで、現実的な出版日の目標をたてやすくなります。

① **査読前のリジェクト**
　即座にリジェクトされる場合は、すぐに連絡がくることがほとんどです。この場合、別のジャーナルで投稿サイクルを最初からやり直さなければなりません。予備のジャーナルを用意しておくことが重要なのは、このためです。リストの次のジャーナルに、ただちに論文を投稿しましょう。

② **査読後のリジェクト**
　この場合も、予備のリストが頼りになります。①と違うのは、原稿に対するフィードバックが得られることです。査読コメントに対処することで論文が改善されると判断したら、次のジャーナルに投稿する前に、論文の修正に必要な時間を見積もりましょう。

③ **条件つきアクセプト**
　条件つきアクセプトとは、「編集者や査読者のコメントと提案に適切に対処しさえすれば、ジャーナルは論文の掲載を再検討するつもりがある」というものです。遅れが生じることにはなりますが、再提出を促すということは、ジャーナルが論文に興味を示している証しなので、よい知らせと言えます。よって、査読者のアドバイスをとり入れれば、出版は比較的スムーズに進みます。ジャーナルはすでにあなたの論文について知っており、プロセスを進めて再査読なしで掲載するつもりでいるからです。
　もしも提案された変更を拒絶あるいは無視し、ほかのジャーナルに投稿することを選べば、時間をロスすることになります。ですから、ほかのジャーナルへの投稿を選ぶのは、査読者のコメントに根本的に同意できない場合だけにしましょう。

④ **アクセプト**

おめでとうございます！ 必要な作業はこれでほぼ完了です。編集者や査読者が小さな修正を提案していたら、迅速に対応して再提出しましょう。ジャーナルが要求するすべての修正、校正、図の作成作業を必ず期限までに終わらせ、出版が遅れないようにしましょう。

● **計画のためのコツ**

- 十分な時間的余裕を持って計画しましょう！ 出版計画をたてるときは、掲載を目指す時期からさかのぼって考えます。2018年に論文を掲載したければ、ジャーナルへの投稿作業は、遅くとも2017年1月までにはじめましょう。
- リジェクトされた場合に備え、複数のジャーナルに続けて投稿する際の時間を考慮に入れておきましょう。
- 忍耐強さを持ちましょう！ 学術出版では、アクセプトされるよりもリジェクトされるのが普通です。それでもほとんどの論文は、いつかは掲載されます。
- 論文を発表したいときにいつでも使えるテンプレートやチェックリストを用意しておきましょう。本書の付録としてこれらの一例を巻末に収録しましたので、参考にしてください。

Column 　**論文出版には時間がかかる**

論文出版には時間がかかることが以下からわかります。あきらめず投稿しましょう。

300万件	年間の全投稿論文数*
150万件	上記のうち、リジェクトされる論文数*
95%	*Cell*、*Lancet*、*Nature* などのジャーナルのリジェクト率
3〜6回	論文が最終的にアクセプトされるまでのおおよその原稿提出回数**
2年間	最初に投稿したジャーナルからリジェクトされた後に、少なくともその半数の原稿が掲載されるまでにかかる期間（全分野で）***

* House of Commons Science and Technology Committee (2011). *Peer review in scientific publications* Vol 1. House of Commons: London, UK.
** Azar, O. H. (2004). Rejections and the importance of first response times. *International Journal of Social Economics, 31*(3), 259-274. doi: 10.1108/03068290410518247.
*** Woolley, K. L., & Barron, J. P. (2009). Handling manuscript rejection: Insights from evidence and experience. *Chest, 135*(2), 573-577. doi: 10.1378/chest.08-2007.

4 ジャーナルを選ぶ

　ジャーナルの選択は、「3 出版計画をたてる」で説明したように、出版の戦略における重要な部分です。判断を誤れば、数週間から数か月という時間をロスすることになるので、もっとも重要な部分と言えるかもしれません。

　検討すべき点は、ジャーナルのネームバリュー、分野における正確なジャーナルの数、希望する出版時期など、いくつかあります。ジャーナル選びは気が重いという著者もいますが、そうした著者は、大がかりなやり直しを防ぐための極めて単純なステップを見すごしていることがあります。

　以下の事例は、ジャーナル選びでよくあるミスです。

■ ケーススタディ

ミス6 ジャーナルの目的と対象領域を無視する

頻 no data
重

校正者の知恵！

- ジャーナルの Aims and Scope を読み、論文のテーマや形式がジャーナルの方針と一致しているかどうかを確認すべし

病理学専攻の医大生、中村氏の場合

　病理学を研究する医大生の中村氏は、診断と手術を行なう組織病理学者にとって大きな実用的価値を持つかもしれない、ある症例報告を書きました。それは、ある病態の予防と管理における新しい手法について述べたものでした。この報告を早く公表したいと望んだ彼女は、病理学に関する論文を掲載する中堅ジャーナルを選びました。

　しかし最初の選別段階で、編集者は以下の理由とともに、彼女の論文をリジェクトします。

- 当ジャーナルは、ヒトの疾患の診断や治療の側面よりも、その病態生理学的なメカニズムの解明に重点を置いている。
- 当ジャーナルは、症例報告よりも原著論文を重視している。

中村氏は、この結果を予測し、回避することができたでしょうか。答えはイエスです。ではどうすればよかったのでしょうか。投稿前に、ジャーナルのAims and Scope（目的と対象領域）をしっかり確認して理解するという、単純なことを行なえばよかったのです。

■ジャーナル選びのヒント

論文を投稿する査読つきジャーナルの選択を誤らないための、重要な基準を見ていきましょう。

●論文のテーマはジャーナルの目的と対象領域に合っているか

回避が可能なリジェクト理由のうち、もっともよくあるのが、原稿がジャーナルの目的と対象領域に合っていないことです。*

たいていの場合、ジャーナルは対象領域をかなり限定しています。ですから、何よりもまず、自分の論文のテーマが、目指すジャーナルのテーマと合っているかどうかを確認してください。

対象範囲内であっても、ジャーナルが注目するのは特定の側面だけという場合もあります（中村氏の例で見たとおりです）。

最後に、目指すジャーナルが、自分が提出しようとしている論文形式を受け入れるかどうかを確認しましょう。あなたの論文が事例研究（ケーススタディ）なら、そのジャーナルが症例報告（ケースレポート）を掲載しているかどうかを確認しましょう。掲載していないようなら、自分の論文を原著論文として書き直すのではなく、ほかのジャーナルを探しましょう。どのような形式で提出したとしても、リジェクトの確率が非常に高いことに変わりはありません。

●ターゲットとなる読者層を確認する

あなたの論文は、誰に関係があり、どれくらいの影響度がありそうでしょうか。そうした点が、複数領域を扱う裾野の広いジャーナルを選ぶか、対象領域を絞ったジャーナルを選ぶかの判断材料になります。

たとえば、あなたの論文が公共政策に関係し、看護師による患者ケアの方法を変える可能性があるとしたら、専門家以外の一般読者にまで幅広く発信される、裾野の広

---

* Ali, J. (2010). Manuscript rejection: Causes and remedies. *Journal of Young Pharmacists, 2*(1), 3-6. doi: 10.4103/0975-1483.62205.

いジャーナルを選びましょう。

　論文の専門性が極めて高ければ、読者層を絞った小規模なジャーナルに投稿するのが得策です。幅広い読者に届けるよりも、適切な読者に向けて発信することが重要な場合もあるのです。

　そのほかに重要なポイントは、そのジャーナルの読者が世界中にいるのか、あるいは特定の地域や国に限定されるのかを確認することです。たとえば、ある国のある地域における行政や政策に関わる諸問題に影響を与えるような、現在の社会経済的要因を扱う論文があったとします。その論文は、対象国の学術界に関わることであり、そこでは広く読まれるはずです。しかし、世界に目を向けているジャーナルからは、価値を認められないでしょう。

● **ジャーナルの露出度は高いか**

　論文が出版されれば、ほかの研究者にその論文を見つけてもらいやすくなります。この点については、ジャーナルの露出度が大きな役割を果たします。露出度を判断する方法は、次のとおりです。

- そのジャーナルは、オンラインデータベースに収載されているか。Web of Scienceに収載されているか。また、自分の研究領域の一般的な分野別データベースに収載されているか。これらの答えがイエスなら、論文が掲載されれば、その分野での露出度は極めて高くなり、引用回数も多くなります。
- そのジャーナルは電子版を発行しているか。冊子体しか発行していないジャーナルで出版した場合、あなたの論文の存在を知る人や、それを読む人の数は、極端に減ります。

● **出版による履歴書（CV）へのメリットは大きいか**

　論文が掲載されたジャーナルの知名度が、その論文の質を測る指標として扱われることがよくあります。これは、キャリアの向上、専門家としての評価、研究資金の獲得に、直接的にも間接的にも関わってくることです。履歴書における出版のメリットは、どのように見定めたらよいのでしょうか。以下のポイントが、メリットの大きさを判断する材料になるでしょう。

- **編集委員**
　一流ジャーナルでは通常、著名な研究者が編集委員に名を連ねています。ジャーナルのウェブサイトで、編集委員の名前をチェックしましょう。編集委員は、あなたの

研究領域でよく知られている人たちでしょうか。

- **ジャーナルの発行母体・支援団体**

  そのジャーナルは、該当分野の著名な学会から発行されているか、あるいは支援を受けているでしょうか。

- **インパクトファクター**

  インパクトファクターの数値だけに注目しないようにしましょう。インパクトファクターの数値は、分野によって異なります。同じ分野のほかのジャーナルとの相対的な要素として考えるようにしましょう。

- **業績のある同僚の意見**

  彼らは普段どんなジャーナルを読んでいて、どのジャーナルの論文のレベルが高いと感じているでしょうか。

- **査読**

  査読つきジャーナルに掲載された論文は、査読のないジャーナルに掲載された論文よりも質が高いとみなされます。また、論文を査読つきジャーナルに投稿すると、査読者から助言や提案が得られるので、論文の質を高める助けになります。

●論文の投稿から実際に出版されるまでの期間（TAT、ターンアラウンドタイム）はどれくらいか

論文の処理手順や、各ステップにどれくらいの時間がかかるかの見通しを公開するジャーナルが出てきました。投稿を考えているジャーナルではどのような情報が得られるか、必ずチェックしましょう。確認すべきポイントは、次の2点です。

- **査読期間**

  そのジャーナルは、年に何号発行されているでしょうか。月刊のジャーナルは、季刊のジャーナルにくらべて、査読期間がかなり短い傾向があります。投稿日と受理日をリスト化しているジャーナルもあります。これらの日付を比較すれば、出版までにかかるおおよその期間がわかります。

- **電子版の有無**

  そのジャーナルに電子版はあるでしょうか。また、アクセプト後、論文はただちに電子出版されるでしょうか（電子出版された場合も、出版済み論文とみなされます）。

短期間での論文出版を検討している場合は、オープンアクセス・ジャーナルが最適です。

● **悪徳ジャーナルに注意！**

オープンアクセスという形式が普及するにつれて、悪意のある個人が偽物のジャーナルを簡単にでっちあげられるようになり、迅速で手軽な出版をうたいながら法外な論文掲載料を要求するというケースが出てきています。聞いたことのない新しいジャーナルに論文を投稿しようとする際は、あらかじめ次の点を確認しましょう。

- 出版元は、ウェブサイト上に住所などの連絡先を公表しているか。オンライン上のコンタクト先しか表示されておらず、実際の住所が確認できない場合、そのジャーナルは信用できません。
- ジャーナルの編集委員に、身元の確かな専門家が含まれているか。また、その所属先も明記されているか。悪徳ジャーナルは通常、編集委員会について十分な情報を提供しておらず、会員の学術的な資格や所属先を明らかにしていません。なかには、専門家の名前を勝手に載せているものもあります。
- そのジャーナルに掲載された論文の質はどうか。出版済みの論文をいくつか確認し、その質を評価してみるのもよい方法です。そのとなりに自分の論文を並べたいかどうか、想像してみましょう。
- そのジャーナルは、著名な出版社協会に登録されているか、あるいはそのメンバーとなっているか。信頼できるオープンアクセス・ジャーナルのほとんどは、Directory of Open Access Journals（www.doaj.org）やOpen Access Scholarly Publishers Association（www.oaspa.org）などのデータベースに登録されています。検討中のジャーナルがこれらのデータベースに載っているかどうか、チェックしましょう。

悪徳ジャーナルについてのさらに詳しい情報については、ジェフリー・ビオール氏の *Criteria for Determining Predatory Open Access Publishers*（悪徳オープンアクセス出版社の見分け方）[*]を参照してください。

---

[*] http://scholarlyoa.com/2012/11/30/criteria-for-determining-predatory-open-access-publishers-2nd-edition/

問題にトライ

解答はp.266

　症例報告を投稿するジャーナルを選ぶ際、「投稿先としてふさわしくない」と判断する場合のもっとも確実な手がかりは、次のうちどれでしょうか。

① インパクトファクターはとても高いが、出版までに4〜6か月かかる。
② ジャーナルのウェブサイトに、出版元の所在地と編集委員の所属先が記載されていない。
③ ジャーナルのガイドラインに、「症例報告は積極的には受けつけていないが、重要性が高いとみなされれば出版する可能性もある」と書かれている。

5 論文出版に関するFAQ

■Dr. Eddy に質問しよう！

エディテージでは、「Dr. Eddy の Q & A コーナー」(http://www.editage.jp/insights/ask-dr-eddy) というサービスを行なっており、著者のさまざまな疑問に Dr. Eddy が答えます。Dr. Eddy はエディテージのイメージキャラクターで、論文出版のことなら何でも知っている博士。Dr. Eddy に質問すると、エディテージのエキスパートが Dr. Eddy の姿を借りて、出版に関する知識やノウハウ、たとえば出版のプロセス、トレンド、倫理など、あらゆる疑問に答えます。これまでに博士が答えたもののうち、多くの著者に関係のある興味深い質問と回答をいくつか紹介しましょう。

Q

ジャーナルで「利益相反の開示」が要求されています。利益相反とは何ですか。また、著者は具体的にどうすればよいのでしょうか。

A

利益相反とは、著者が企業などから金銭等の利益を得て、研究者として必要な公正な判断が損なわれかねない状況が存在することです。利益相反は、金銭的な関係、個人的な関係あるいは敵対関係、学問上の競争、主義や信条の違いが存在するところなどで生じる可能性があります。

利益相反については、ほとんどの国際ジャーナルが完全開示の方針をとっています。著者は、以下の対応をしなければなりません。

- 自分が受けとったあらゆる金銭的支援（基金、奨学金、助成金）について述べる。
- 利益相反とみなされる可能性のある商業的あるいは金銭的な関係があれば、すべてカバーレターに記載する。
- どのような形であれ、研究に偏った結果をもたらすような支援者との同意書にサインしていないことを明言する。

利益相反の可能性がない場合も、その旨を明記しましょう。

Q

私の論文は、剽窃チェックで調べた結果、重複度が19%だったという理由で、SCI（Science Citation Index）に収載されたあるジャーナルから掲載を拒否さ

れました。できる限りの修正をしましたが、ジャーナルの剽窃チェックを完璧にクリアするためは、ほかに何をすればよいでしょうか。

A

剽窃チェックの後に論文を修正したのなら、疑いのある内容の割合は十分に下がったはずです。それでも不安な場合は、剽窃チェックソフト（例 iThenticate、PlagTracker、Viper）を試してみましょう。

重複度がまだ高そうなら、論文を再度修正する必要があるかもしれません。英文を自分の言葉で言い換えるのが難しければ、英語を母語とする人に助けを求めましょう。ほかの論文から考え方やアイデアを借りるときは、たとえ自分の言葉でまとめていたとしても、必ず出典を明記するようにしてください。

Q

査読つきジャーナルに受理されてはいるが、まだ出版されていない論文を引用しても問題ありませんか。

A

どのような論文を引用しても問題ありません。出版済み論文、プレプリント、投稿中の論文、そして、受理はされたけれどもまだ出版はされていない論文も引用できます。プレプリントの引用は推奨しないとするジャーナルもありますが、出版が認められた論文であれば、問題ありません。

その論文は査読されているので、出版済み論文と同様に信頼性があるとみなされます。参考文献リストの論文タイトルの後に、「in press（出版準備中）」とつけ加えましょう。

Q

ジャーナルに会議録を投稿してもいいのですか。

A

はい、問題ありません。ただし、会議録とジャーナル論文の違いを理解しておくことが重要です。学会で発表される論文は、一般的に不完全なものです。学会では、予備的な分析を発表し、出席者の意見を聞き、詳細な分析は控えます。議論で得られた意見をとり込んで、完全な論文にするのです。

会議録とジャーナル論文をとり違えられることがないように、それぞれのタイトルを違うものにすることをお勧めします。会議録をジャーナル論文に書き直す際の修正量は、分野やジャーナル次第ですが、少なくとも3割程度の修正が必要

となるケースがほとんどです。

　最後に、学会で発表済みの論文についての投稿規定をよく読みましょう。自分の論文が、すべてのガイドラインにしたがっていることを確認してください。

Q
同じ機関に所属する研究者4人で、ある研究を行ないました。そのうちの1人が、研究の途中でほかの機関に移りました。この研究の論文をジャーナルに投稿する際、その人も共著者とみなすことはできますか。

A
元同僚に共著者としての資格があるかどうかは、以下の状況によります。

- その人が他機関に移るまでに研究が完了していなかった場合、その人は、移籍後もその研究のすべての重要な段階に関わっていましたか（つまり、その人はデータの分析や解釈に対するすべての重要な変更に関わっていましたか）。
- その人は最終原稿を確認し、承認しましたか。
- その人は、原稿の共著者として名前を載せることに同意していますか。

　上記の質問の答えがすべてイエスなら、その人は共著者とみなされます。1つでもノーがあるなら、共著者とはみなされません。共著者とみなすことができない場合は、その理由について本人ときちんと話し、将来的にいざこざやオーサーシップに関する論争につながらないようにすることが重要です。

　このような質問と答えをもっと読みたい方や、Dr. Eddyに質問をしたい方は、こちらのウェブサイト http://www.editage.jp/insights/ask-dr-eddy からどうぞ。

Chapter 2

論文執筆中のミス

1 英語と専門表現のミス

■文法のミス

　英文校正に携わる私たちは、日本人著者から、原稿の修正箇所について質問を受けることがよくあります。質問からわかるのは、英文法の知識がとても豊富な著者がいるということです。「なぜ過去形を現在形に変えたのですか？」「この動詞は自動詞として使えますか？」「母音の前に不定冠詞のaを置くのは間違いだと教わりました。それなのに、なぜanをaに直したのですか？」。

　このような質問は、いつでも大歓迎です。著者が文法用語に詳しければ、私たちも修正箇所について説明しやすくなります。しかし、ほとんどの著者が文法の基本的ルールについてはよく知っている一方で、それにもとづいて英文を書くとなると、不安があるようです。

　このため、単純で基本的な文法に関するミスは少ないのですが、文構造が複雑で文脈に左右される部分では、悩んだすえにおかしたと思われるミスが見られます。この項では、文法についてのよくあるミスをしっかり理解しましょう。

ミス7　aとanを使い分ける際の落とし穴

校正者の知恵！

- 不定冠詞aとanは、つづりではなく発音に着目して使い分けよ

　不定冠詞のaとanを使い分けるルールを、「a、e、i、o、uではじまる単語の前にanを置き、それ以外の文字ではじまる単語の前にaを置く」と覚えていませんか。これは不完全なルールです。ある単語の前にaを置くかanを置くかは、その単語のつづりではなく、発音で決まります。

　aとanは、文法上の意味は同じですが、発音しやすくするための使い分けが生じました。a articleと言うよりも、an articleと言うほうが発音しやすいですね。発音に着目し、「子音ではじまる単語の前にaを置き、母音ではじまる単語の前にanを置く」というのが正しいルールです。

　したがってhonestという単語の場合、最初のつづりはhですが、"onest"と発音するため、an honest womanとなります。反対に、unitedという単語の最初のつづりはuですが、発音は子音"*yoo*"ですから、a united teamとなります。

1 英語と専門表現のミス

> European は子音ではじまる

誤 *Thyone roscovita* was established as an European species.

正 *Thyone roscovita* was established as a European species.
（*Thyone roscovita* は欧州地域の種であることが立証された。）

　Europeanの発音は子音 "*y*" ではじまりますから、正しい不定冠詞はaです。母音ではじまるのか子音ではじまるのか自信がない場合は、辞書で調べるようにしましょう。

● 略語

　aとanの使い分けが発音にもとづくというルールは、略語にもあてはまります。

> 略語LCDは母音ではじまる

誤 Figure 3 shows the experimental setup with a LCD screen and a camera.

正 Figure 3 shows the experimental setup with an LCD screen and a camera.
（図3は実験装置のLCD画面とカメラを表す。）

　上の例文の略語LCDはLではじまっていますが、1文字ずつ "*el-see-dee*" と発音します。よってanを使います。
　ただし略語によっては、1文字ずつ読まずに、1つの単語として読む場合があるので注意が必要です。どちらか不確かなときは、略語の発音を確認しましょう。

> Sは "*es*" とは発音しない

誤 We used an SCID mouse model of human B lymphoma.

正 We used a SCID mouse model of human B lymphoma.
（我々はヒトBリンパ腫を持つSCIDマウスモデルを使用した。）

　severe combined immunodeficiency（重症複合免疫不全）の略語であるSCID

は、"*es-see-eye-dee*" とは読まず、1つの単語として "skid" と発音します。よって冠詞はaです。

●数字

> 誤　They studied the nutrient dynamics in the soil of a 18-year-old pine plantation.
>
> 正　They studied the nutrient dynamics in the soil of an 18-year-old pine plantation.
> （彼らは18年目の人工松林の土壌養分動態を調査した。）

（18は母音ではじまる）

日本人著者は、数字の前につける冠詞を間違えてしまうことがあるようです。これはおそらく、数字がスペルアウトされていないので、発音ではなくアラビア数字を見て冠詞を選んでしまうことが原因でしょう。

　数がアラビア数字で表記されていたとしても、冠詞はその数字の発音によって決まります。18は "eighteen" と発音し、母音 "*ay*" ではじまるので、冠詞はanです。

●元素記号と化学式

> 誤　The rats were fed an Mg-deficient diet.
>
> 正　The rats were fed a Mg-deficient diet.
> （そのラットはマグネシウム不足の餌で育てられた。）

（元素記号は元素名で発音する）

多くの著者が「文中の元素記号は1文字ずつ読む」と誤解していますが、正しくは元素名で読みます。上の例では、"...an *em-jee*-deficient diet" ではなく、"...a magnesium-deficient diet" です。

　このルールは化学式にもあてはまり、式をつづりどおりに読むのではなく、化合物の名前で読みます。たとえば、NaClであれば、"*en-ay-cee-el*" と読むのではなく、"sodium chloride" です。例外はアイソトープです。たとえば、an ^{15}N isotope なら、"an *en* fifteen isotope" のように、元素記号で発音します。

問題にトライ

解答はp.266

空欄に、aまたはanを入れてください。

① We used ____ Au electrode with a 2-mm diameter.

② Figure 1 shows the seasonal changes in wind parameters as represented on images taken by ____ NASA satellite.

③ Professor Li received ____ university grant for this study.

④ This method involved the use of ____ yttrium garnet crystal.

⑤ Our report describes the case of ____ 82-year-old woman who sustained fractures after a total hip arthroplasty.

ミス8 単数の可算名詞にa/anがついていない

校正者の知恵！

● 単数の可算名詞を見たら冠詞がついているかどうかを確認すべし

単数の可算名詞の前には必ず冠詞を置くというのが、冠詞の用法のもっとも基本的なルールです。置かれる冠詞は、定冠詞の場合も不定冠詞の場合もあります。ある名詞の前に数字を置けるなら、それはその名詞が数えられるということであり（例 two pens 2本のペン、fourteen articles 14本の記事）、数字を置けないなら、それは数えられない名詞ということになります（例 water 水、furniture 家具）。あるもの一般を示す単数の可算名詞の前には通常aかanをつけ、特定される名詞の前にはtheをつけます。

日本語には冠詞がないため、どの場合に冠詞をつけるべきなのかがわからない著者が多いようです。次の例を見てみましょう。

> systemは単数の可算名詞
>
> 誤) Fully automated system can help in identifying these microorganisms.
>
> 正) A fully automated system can help in identifying these microorganisms.
> （全自動システムがこれらの微生物の特定に役立つ可能性がある。）

以下のように、辞書を見てみるとsystemという語は可算名詞だとわかります。上の例文では一般的な全自動システムのことを言っているので、aを使います。

```
Definition of system noun from the Oxford Advanced Learner's Dictionary

system  noun
BrE /ˈsɪstəm/ ; NAmE /ˈsɪstəm/
★ Add to my wordlist

1  [countable] an organized set of ideas or theories or a particular way of doing something
   • the British educational system
   • system for doing something  a new system for assessing personal tax bills
   • system of something  a system of government
```

Reproduced by permission of Oxford University Press
From http://www.oxfordlearnersdictionaries.com/ originally based on OALD 9e print edition
©Oxford University Press 2015

> basisは単数可算名詞

誤 The threat superiority effect has evolutionary basis.

正 The threat superiority effect has an evolutionary basis.
（脅威優位性効果は、進化論を根拠としている。）

　上の例では、basisは単数の可算名詞なので、不定冠詞が必要です。また、evolutionaryは母音ではじまるので、「ミス7」で説明したように、anを使います。

　不定冠詞と定冠詞のいずれを用いればよいかについては、「ミス10」で説明します。
　例外として、名詞の前にmy、his/her、no、someなどの代名詞の所有格や数量詞がある場合、冠詞は必要ありません。なぜなら、これらの単語（たいがいは代名詞）によって名詞が特定のものとなり、冠詞を使う必要がなくなるからです。the my bookやthe some peopleなどとするのは誤りで、my bookやsome peopleとします。

ミス9 不可算名詞にa/anがついている

校正者の知恵！

- 名詞の前に数字を置いてみて数えられるかどうかをチェックすべし

「ミス8」とは逆に、数えられない名詞の前にaやanを置いてしまうケースです。

> tolerance は不可算名詞

誤 We observed an increased tolerance to exogenous antigens.

正 We observed increased tolerance to exogenous antigens.
（外来抗原に対する耐性が高まっていることを確認した。）

ほとんどの抽象名詞や物質名詞と同じように、toleranceも数えられません。ある名詞の前に不定冠詞がつくかどうかの判断基準の1つは、その名詞の前に数字を置けるかどうかです。たとえば、one toleranceやfive tolerancesと言えるでしょうか。言えませんね。これは、toleranceが不可算名詞だからです。不可算名詞には、aやanはつきません。

文脈によって、可算名詞にも不可算名詞にもなりうる名詞があることに注意しましょう。用法が不確かなときは、辞書で調べてみるのが一番です。

たとえば、素材としてのpaper（紙）は、不可算名詞として扱われます（a container made of paper 紙でできた容器）。一方、出版物や書類の意味で用いる場合は、可算名詞として扱われます（published three papers 3本の論文を出版した）。

問題にトライ　　　解答はp.267

次の単語を辞書で引き、可算名詞か不可算名詞か、あるいは文脈によってどちらにもなりうるのかを調べましょう。

knowledge	modification	radiography
fuel	velocity	information
circulation	temperature	treatment
trial	analysis	substance

ミス10 定冠詞theがついていない

校正者の知恵！
- 定冠詞が必要な場合のルールを覚えるべし

　定冠詞のミスは、不定冠詞のミスよりも多く見られます。これはtheの使用が文脈に左右される部分が大きいからです。
　theは、一般的ではなく何を指すのか特定できる名詞や、一部の固有名詞の前に置かれます。英語を母語としない著者は、ある名詞がどのような場合に特定されてtheが必要になるのかという判断にもっとも頭を悩ませるようです。
　ここでは、定冠詞をつけるべきかどうかを判断するための便利なルールを紹介します。このルールを覚えておけば、かなり定冠詞を使いこなせるはずです。まずは基本的なルールを確認しましょう。

●山脈、川、半島、海

山脈、川、半島、海の名前は固有のものなので、theをつけます。

例 the Himalayas（ヒマラヤ山脈）、the Nile（ナイル川）、the Korean Peninsula（朝鮮半島）、the Sea of Japan（日本海）

lakeのように普通名詞ではじまる場合、theをつけません。

例 Lake Baikal（バイカル湖）、the Lake Baikalとはしない

> 海は原則theをつける

誤 This species was first reported from Red Sea.

正 This species was first reported from the Red Sea.
（この種は、最初に紅海で発見された。）

　また、大陸、ほとんどの国、都市、通りの名前にはtheをつけません。例外は、the United States of America（アメリカ合衆国）、the Czech Republic（チェコ共和国）、the Netherlands（オランダ）などです。また、Mt. Everest（エベレスト）

のように、山の名前の前にもともとMountがついている場合は、theをつけません。

● **組織の名称**

機関や組織の名称にはtheをつけます。

例 the Wadsworth Atheneum（ワズワース・アテネウム美術館）、the United Nations（国際連合）、the Whitehouse（ホワイトハウス）、the Presbyterian Church（長老派教会）

> 大学名にはtheをつける
>
> **誤** She is a graduate student at University of California.
>
> **正** She is a graduate student at the University of California.
> （彼女はカリフォルニア大学の大学院生だ。）

この場合、University of Californiaは組織名なので、theが必要です。組織名のなかにofがある場合は、組織名の前にtheをつけます。

例 the University of California（カリフォルニア大学）、the National Institute of Advanced Industrial Science and Technology（産業技術総合研究所）

ただし、大学名がuniversityで終わる場合、冠詞は必要ありません。

例 Harvard University（ハーバード大学）、Kyoto University（京都大学）

また、NASAやUNESCOのように、1つの単語として発音する略語の場合、定冠詞は省略されます。

● **等級や序列が示されている名詞**

次のように、ある名詞が等級や序列を示す言葉で説明されている場合は、theをつけます。

例
- 形容詞の最上級　the tallest building（もっとも高い建物）、the most active member（もっとも活発なメンバー）
- 序列を示す語　the first report（最初のレポート）、the next experiment（次の実験）、the following instructions（以下の指示）

> 序列が示されている名詞にはthe をつける

誤 Immunohistological examination of last lymph node sample showed infiltration of plasma cells.

正 Immunohistological examination of the last lymph node sample showed infiltration of plasma cells.
（最後のリンパ節標本における免疫組織学的検査で、形質細胞の浸潤が見られた。）

● 身体器官

身体の部位や器官を総称的に示す際にはthe をつける場合が多いです。

例　the nose（鼻）、the heart（心臓）

> 身体器官にはthe をつける

誤 One patient was diagnosed as having primary carcinoma of liver. The other had ulcers on right leg.

正 One patient was diagnosed as having primary carcinoma of the liver. The other had ulcers on the right leg.
（一方の患者は肝臓の原発癌と診断された。他方の患者は右脚に潰瘍があった。）

次に、文脈に左右される定冠詞のつけ方のルールをいくつか紹介しましょう。ある名詞が特定できるものかどうかを決めるためには、ルールについての知識と判断力の両方が必要とされます。the を使うべきか否かが文脈によってどのように決まるのか見ていきましょう。

● 名詞がすでに文中に登場している場合

次の会話を見てください。名詞がすでに登場したかどうかで、使う冠詞が変わってくることがわかります。

例

Jane: What did you do on Sunday afternoon?
（ジェーン：日曜の午後は何してた？）
Lily: My friends and I went to see a movie.
（リリー：友人たちと映画を観に行ったわ。）
Jane: That's nice.
（ジェーン：それはいいね。）
Lily: The tickets were very expensive, but we all really liked the movie!
（リリー：チケットは高かったけど、すごく面白い映画だったわ！）

リリーが最初にmovieと言ったとき、彼女は不定冠詞aを使っています。ジェーンと共通認識のある特定の映画について述べたわけではないからです。2度目にmovieと言ったときはtheが使われていますが、これはある特定の映画（日曜日に観た映画）を指しているためです。登場済みの名詞は特定のものとなり、theがつきます。

誤 A patient with coexisting ectopic and intrauterine pregnancies was referred to our hospital. The signs observed were acute appendicitis and vaginal bleeding. We were able to treat a patient conservatively because of early diagnosis.

第1文でpatientは登場済みだからtheが必要

正 A patient with coexisting ectopic and intrauterine pregnancies was referred to our hospital. The signs observed were acute appendicitis and vaginal bleeding. We were able to treat the patient conservatively because of early diagnosis.
（子宮外および子宮内妊娠が同時発生している患者が当病院にまわされてきた。急性虫垂炎と膣出血の症状が認められた。早期診断のおかげで、その患者に温存治療を施すことができた。）

上の例では、第3文のpatientに定冠詞theをつけます。著者はすでに第1文でpatientを使っており、同一人物について話していることは明らかだからです。

ある名詞が最初に登場する箇所は直前の文章とは限らず、さらに前のセクションの場合もあります。しかし、同じ特定の名詞について言及する限りtheを使います。

ただし、セクションや論文全体をとおして名詞を一般的な意味で使う場合は、定冠詞を用いませんので注意しましょう。以下の例を見てください。

> **誤** Walruses are highly specialized predators with a unique feeding niche. At present, there is little direct documentation of their underwater behavior. Ours is the first study that describes the underwater foraging behavior of the walruses in their natural habitat.*
>
> 一般的なwalrusesを指しているのでtheは不要
>
> **正** Walruses are highly specialized predators with a unique feeding niche. At present, there is little direct documentation of their underwater behavior. Ours is the first study that describes the underwater foraging behavior of walruses in their natural habitat.*
> (セイウチは、独特の摂食行動をとる極めて特殊な捕食者である。その水中での行動に直接言及した資料は、現状では限られている。自然生息地のセイウチが水中で餌を探す行動について述べたのは、我々の研究が最初である。)

この場合、名詞walruses（セイウチ）は第1文で使われていますが、次に使うときも冠詞は不要です。なぜなら著者は、ある特定のセイウチではなく、セイウチ一般について述べているからです。

●名詞が特定のものであることが示唆される場合

名詞が特定できるのは、その名詞がすでに登場している場合だけではありません。先ほどのジェーンとリリーの会話では、movieだけでなく、別の名詞ticketsの前でもtheが使われていました。

ticketsはそれまでの会話に登場していませんが、映画についての話題であることから、話し手が映画のチケットのことを言っているのは明らかです。この場合の定冠詞は、その名詞が特定のものであることを暗に示すために使われています。

＊次の文献をもとに作成。Levermann, N., Galatius, A., Ehlme, G., Rysgaard, S., & Born, E. W. (2003). Feeding behaviour of free-ranging walruses with notes on apparent dextrality of flipper use. *BMC Ecology, 3*, 9. doi: 10.1186/1472-6785-3-9. http://www.biomedcentral.com/1472-6785/3/9

> **誤** We report a rare case of coexisting ectopic and intrauterine pregnancies at our hospital. We were able to treat a patient conservatively because of early diagnosis.
>
> [patient はある特定の患者なので the が必要]
>
> **正** We report a rare case of coexisting ectopic and intrauterine pregnancies at our hospital. We were able to treat the patient conservatively because of early diagnosis.
> （当病院における、子宮外および子宮内妊娠の同時発生という珍しい症例について報告する。早期診断のおかげで、その患者に温存治療を施すことができた。）

上の例でも、patientという語はそれまでに登場していませんが、ここで言及されている患者が、まさにその症例が報告されている人物を指していることは明らかです。このような場合はtheをつけます。

●名詞の後にその名詞を特定する句が続く場合

これは明確に定まったルールではないので、おそらくもっとも難しいルールです。名詞の後に、その名詞を特定する説明の句が続くことがあります。次の文章で考えてみましょう。

> **例** Imagine that you are on a nature trail and your friends spot a bird. How will they help you locate it? They might say, "Look at the bird on the top branch of this acacia tree!"
> （自然遊歩道で、友人たちが1羽の鳥を見つけたとします。彼らはあなたに、鳥のいる場所をどうやって教えるでしょうか。「このアカシアの木の1番上の枝にいる鳥を見てよ！」と言うのではないでしょうか。）

on the top branch of this acacia treeによって、どの鳥のことを言っているかがわかります。このように、名詞の後に説明の句が続くと、その名詞が特定されるため、冠詞theをつけるのが一般的です。ほかの例も見てみましょう。

> **例** We caught the man who was involved in last week's burglary.
> （先週の強盗事件に関与していた男を捕らえた。）

This chapter describes the steps that are involved in photosynthesis.
(この章では、光合成に関わるプロセスについて述べる。)
The boy wearing a red shirt told me everyone had left.
(赤いシャツを着た少年が、みな去ってしまったと私に告げた。)

名詞man、steps、boyの後には、これらの名詞を特定する句が続いています。こうした句は通常、前置詞、関係代名詞、現在分詞(上の3つ目の例)ではじまります。

こういった説明の句は、対象物を指し示す働きをします。そのため、たとえ初出であってもその名詞は特定のものとなり、theを使う必要があるのです。

> **誤** The purpose of this study was to assess adequacy of clinical tube voltage in mammography.
>
> 説明の句で特定されているのでtheが必要
>
> **正** The purpose of this study was to assess the adequacy of clinical tube voltage in mammography.
> (この研究の目的は、マンモグラフィーにおける医療用チューブの電圧の妥当性を評価することだった。)

上の例では、of clinical tube voltage(医療用チューブの電圧の)という句が、何の妥当性について話しているのかを明らかにしているので、theを使う必要があります。

theを加えるかどうかの判断は、場合によっては恣意的で、文脈次第というケースもあることをおさえておきましょう。たとえば、以下のように一般的なプロセスや現象に関する単語を文頭に置く場合、theはしばしば省略されます。

例 Differentiation of stem cells depends on several factors.
(幹細胞の分化は複数の要因に左右される。)
Division of labor during this period has been extensively studied.
(この期間の分業について集中的に調査している。)

theの用法は複雑なので、英語を母語としない人にとって頭の痛い部分です。theをつけるべきかどうか判断がつかないときは、つけておいたほうが安全でしょう。

ミス11 不要なtheがついている

校正者の知恵！
- 定冠詞が不要な4つのルールを覚えるべし

「ミス10」の解説で、定冠詞を使うケースについて理解できたと思います。今度は、theを使わない場合について見ていきましょう。

●一般的な意味を表す場合は名詞を複数形にする

> **誤** In this review, we describe recent advances in techniques and equipment used to observe the arboreal mammals.
>
> （一般的な樹上性哺乳類を指しているのでtheは不要）
>
> **正** In this review, we describe recent advances in techniques and equipment used to observe arboreal mammals.
> （このレビューでは、樹上性哺乳類を観察するための技術と道具に関する最新の知見について述べる。）

著者は、特定の樹上性哺乳類について述べているのではなく、一般的な樹上性哺乳類について述べています。よって、上記の例でtheをつけるのは間違いです。

ただ、これが単数形のarboreal mammalだったとしたら、不定冠詞をつけなければなりません。mammalは単数可算名詞なので、一般的な哺乳類を指しているならa、特定の哺乳類を指すならtheが必要です。可算名詞の複数形によって哺乳類一般を指す場合、冠詞は不要です。

> **誤** This paper discusses the evolutionary basis for rapid detection of the angry faces by the macaque monkeys.
>
> （特定の怒り顔やサルを指しているわけではないのでtheは不要）
>
> **正** This paper discusses the evolutionary basis for rapid detection of angry faces by macaque monkeys.

(この論文は、マカクザルによる怒り顔を迅速に検出するための進化論的根拠について述べている。)

英語ネイティブの人が誤文を読むと、「どのマカクザルの、どの怒り顔だろう？」という疑問が自然に湧いてくるでしょう。angry facesやmacaque monkeysという語の前にtheがあることで、「読み手はすでにそれらに関する情報を持っている」ということが暗に示されるからです。この文が言おうとしているのは、何に関する論文かということであって、検出されるのは、どのマカクザルのどの怒り顔であっても構わないのでtheは不要です。

次の例も見てみましょう。

例 The macaque monkeys were able to detect anger more rapidly than most other negative emotions.
（マカクザルは、ネガティブな感情のうち、怒りをもっとも素早く検出することができた。）

この文では、マカクザルに対して行なった調査の結果を述べています。一般的なマカクザルではなく、調査の対象となったマカクザルについて述べているので、定冠詞theをつけるのが適切です。

● 名詞の後に数字や文字がくるとき

図表番号やグループ名などを示すとき、名詞の後に数字や文字が続くと、それは冠詞がなくても特定された名詞となります。よってtheは不要です。下の例では、211と215という数字によって、positionsが特定されています。

> positionsは211と215によって特定されているのでtheは不要

誤 Serine residues at the positions 211 and 215 were determined to be the substrates of peptide-modifying enzymes.

正 Serine residues at positions 211 and 215 were determined to be the substrates of peptide-modifying enzymes.

（211位および215位のセリン残基は、ペプチド修飾酵素の基質であると判定された。）

このような名詞の例として、次のものがあります。

例 World War II⁺（第2次世界大戦）、Figure 1a（図1a）、Day 14（14日目）、Group A（グループA）

● 固有名詞の所有格に続く名詞

> 固有名詞の所有格に続く名詞の前にtheは不要

誤 Statistical analysis was performed by using the Tukey's multiple comparison test.

正 Statistical analysis was performed by using Tukey's multiple comparison test.
（統計分析は、テューキーの多重比較検定を用いて行なわれた。）

固有名詞の所有格（後ろにアポストロフィとsがつく固有名詞）に続く名詞は、固有名詞の所有格によって特定されるので、theは必要ありません。

● 病名の前

誤 Forest pathologists have identified various biotic and abiotic agents as the causative agents of the resinous stem canker.

> 病名にtheは不要

正 Forest pathologists have identified various biotic and abiotic agents as the causative agents of resinous stem canker.
（樹病学者らは、漏脂病の原因物質として、さまざまな生物的／非生物的物質を特定した。）

病名にはtheをつけません。例外として、普通の風邪（the common cold）、疱瘡（the pox）、インフルエンザのような一般的な病名にはtheをつけます（ただしインフルエンザの場合、the flu とは言いますが、the influenza とは言いません）。確信がない場合は、病名を辞書で引き、冠詞が必要かどうか確かめましょう。

問題にトライ　　解答はp.267

文中の必要な箇所に、a・an・theのいずれかをつけ加えてください。

① Present report aims to clarify recruitment pattern of *S. alba* and to explain how *S. alba* communities formed and developed on Pacific Islands.

② Fifty-year-old woman was referred to us for mass in right submandibular region; it had enlarged in past six months.

③ No data were available for following national parks and sanctuaries: Periyar, Corbett, and Tadoba.

④ Tungiasis was first recorded in Central and South America in 1623, and causative pathogen later spread to Africa, Madagascar, and Asia through ship routes.

⑤ Under guidance of Dr. Jones, professor in Department of Psychiatry at Nazareth Hospital, we examined prevalence of mental disorders among refugees in these camps.

＊第2次世界大戦をSecond World Warというときには、theが必要です（the Second World War）

ミス12 前置詞が使い分けられない

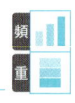

校正者の知恵！
- 前置詞を使う際はこまめに辞書を引くべし

　前置詞は、英語で頻繁に使われます。ネイティブは、文脈によって自然に前置詞を使い分けることが可能です。そのため、前置詞の使い方を間違えるとジャーナル査読者の目につきやすく、英語についての否定的なコメントが出やすくなります。

　1つの名詞にさまざまな前置詞を組み合わせることができますが、組み合わせは文脈によって異なります。それを知らないと、著者は「この名詞にはこの前置詞を組み合わせるものだ」と思い込み、安易にその前置詞を使ってしまうことになります。

　正しい使い方を確認するには、辞書に頼るのが賢明です。たとえば、*Oxford Learner's Dictionaries*のウェブ版でinfluenceという単語を調べると、次のように書かれています。

Definition of influence noun from the Oxford Advanced Learner's Dictionary

influence *noun*

BrE /ˈɪnfluəns/ ; NAmE /ˈɪnfluəns/

Add to my wordlist

1 [uncountable, countable] **influence (on/upon somebody/something)** the effect that somebody/something has on the way a person thinks or behaves or on the way that something works or develops
- to **have/exert** a strong **influence on** somebody
- the **influence of** the climate on agricultural production
- What exactly is the influence of television on children?

Reproduced by permission of Oxford University Press
From http://www.oxfordlearnersdictionaries.com/ originally based on OALD 9e print edition
©Oxford University Press 2015

　名詞influenceには、その後に続く言葉次第でofかonが使えることが示されています。influence of Xと言えば、Xが何かに対して影響を与えることを意味し、influence on Xと言えば、Xが何かから影響を受けることを意味します。

　ほかの例も見てみましょう。differenceには、おもにinかofが続きます。

1 英語と専門表現のミス

> 〔ここでは特徴の違いを述べているのでin〕
>
> 誤　There were no significant differences of the shapes and sizes of fins between the two species.
>
> 正　There were no significant differences in the shapes and sizes of fins between the two species.
> （その2種の鰭には、形にもサイズにも有意差は見られなかった。）

　前置詞inは特徴の違いを示すときに使い、ofは程度の違いを表すときに使います。この原則は、change、increase、decreaseなどの名詞にもあてはまります。

　次の文で、前置詞ofとinの使い方についての理解を深めましょう。ofは程度を示す際に用いられ、inは特徴を示す際に用いられていることがよくわかるでしょう。

例
① The **difference** of 1.5 m between the heights of the two trees could be attributed to the **difference** in the light intensity in their environments.
（その2本の木の高さにおける1.5 mという差は、それぞれの環境における光の強度の違いによるものと考えられる。）
② We observed no **change** in the patient's clinical condition.
（患者の容体に変化は見られなかった。）
③ There was an **increase** of 4°C in the temperature of the water at site B.
（B地点の水の温度は4°C上昇した。）

前置詞の使い方を誤ると、次のような非論理的な文ができてしまいます。

> 〔患者がリンパ節症そのものであるように読める〕
>
> 誤　The patient was diagnosed as lymphadenopathy.
>
> 正　The patient was diagnosed with lymphadenopathy.
> （その患者はリンパ節症と診断された。）
>
> 正　The patient was diagnosed as having lymphadenopathy.
> （その患者はリンパ節症にかかっていると診断された。）

> **正** The patient's condition was diagnosed as lymphadenopathy.
> （その患者の病気は、リンパ節症と診断された。）

最初の文は、患者自身がリンパ節症そのものであるように読めてしまいます。この種のミスは、3つの正文のうち、上の2つの文を混同してしまうために起こるようです。

Column　　よくある前置詞のミス

以下のような前置詞のミスがよく見られるので注意しましょう。色文字の前置詞は、矢印が指し示す前置詞に修正する必要があります。

- a shape **similar** with (→ to) that of a red blood cell
  （赤血球に似た形）
- an experiment **conducted** in (→ at) a high temperature/pressure
  （高温高圧で実施された実験）
- a **patient** of (→ with) severe heart disease
  （重度の心疾患を持つ患者）
- **infection** of (→ with) HIV
  （HIV感染）
- the **effect** by (→ of) weather
  （天候の影響）
- the **consistency** of (→ between) the results of two studies
  （2つの研究結果の整合性）
- the **role** of catalyst X for (→ in) a reaction
  （ある反応における触媒Xの役割）
- the **impact** of X for (→ on) the global economy
  （グローバル経済におけるXの影響）
- a **case** with (→ of) developmental delay
  （発達の遅れについての事例）
- to **die** with (→ of) a condition
  （病気による死亡）

ミス13 過去の研究を引用する際の時制がおかしい

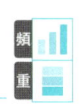

> **校正者の知恵！**
> ● 確立された一般的事実を述べる場合は現在形で表し、比較的最近の研究内容を述べる場合は現在完了形で表すべし

●確立された一般的事実を述べる場合

例 We studied the antioxidant properties of 12 medicinal plants.
（我々は12種の薬用植物の酸化防止特性を調べた。）

　上の例文のように、過去形は、過去に行なわれた活動について述べるときに使われます。しかし、以前の研究結果が一般的事実として確立され、過去の研究での一観察事項にとどまらない場合は、現在形を使います。

確立された事実は現在形を使う

誤 Several studies have shown that these proteins were associated with apoptosis in many cell types.

正 Several studies have shown that these proteins are associated with apoptosis in many cell types.
（これらのタンパク質は多くの細胞型のアポトーシスと関連性があるということが複数の研究で示されている。）

　著者のなかには、「研究は過去に行なわれたのだから、その結果はすべて過去形で書くべきだ」と誤解している人がいるようです。上の文は、過去に一度だけ認められた「関連性」ではなく、すでに複数の研究によって確立された一般的事実について述べています。したがって、現在形を使わなければなりません。

●一般的事実として確立されていない研究結果を述べる場合

次に、研究結果が事実として確立されていないケースも見てみましょう。

> 誤　In a questionnaire survey conducted by Takahashi et al. (2011), 63% of patients receiving rehabilitation support after hip fractures report satisfactory results.
>
> 　　　　　　　　　　　　　　　　　　　確立されていない事実には過去形を使う
>
> 正　In a questionnaire survey conducted by Takahashi et al. (2011), 63% of patients receiving rehabilitation support after hip fractures reported satisfactory results.
> （Takahashiほか（2011）が実施したアンケート調査によると、股関節骨折後にリハビリ支援を受けた患者の63％が、経過が順調であると回答した。）

上記のようなミスはまれですが、先ほどのルールを誤って適用すると起こります。

上の文は、調査を実施した特定の患者グループのアンケート結果を述べているだけなので、リハビリ支援を受けているすべての股関節骨折患者にあてはめることはできません。したがって、過去形にするのが適切です。

科学研究では、新たな結果が報告されても、その結果が十分な信頼性を持って再現されない限り、一般的事実としてすぐに認定されることはありません。そのため、過去形と現在形のどちらを使うかを決める際は、報告しようとしている結果が、その分野で事実として認められているかどうかを確認する必要があります。

たとえば、教科書に掲載されている情報であれば、それは事実とみなされます。教科書の情報は通常、現在までに一般的真理として証明されているものだからです。

過去の研究結果を報告する際の時制がわかったところで、次は比較的最近の研究を報告する場合の時制を見てみましょう。

●比較的最近に行なわれた研究について述べる場合

> 　　　　　　　　　　　　　　比較的最近の研究には現在完了形を使う
>
> 避けるべき　The procedure for the X-ray diffraction analysis was described in a previous study by Smith et al. (2014).

> **好ましい** The procedure for the X-ray diffraction analysis has been described in a previous study by Smith et al. (2014).
> （X線回折解析の手順は、Smithほか（2014）による過去の研究で説明されている。）

　過去の研究内容を引用する場合、通常は過去形を使えば問題ありません。しかし、上の例文のように、引用された研究が最近のものであり、引用者の研究と関連が深いことを暗に示す場合は、現在完了形が好ましいケースが多いです。
　もう1つ、わかりやすい例を挙げましょう。次の文は、1950年代初期に行なわれた研究について述べたものです。この場合は、かなり時間が経過しているので、過去形を用います。

例 Watson and Crick discovered the structure of DNA.
（WatsonとCrickはDNAの構造を発見した。）

　一方、同時代の科学者が1、2年前に行なったことを書く場合は、現在完了形を使うのが望ましいでしょう。

例 Tanaka et al. have reported a 10% increase in the population of this endangered species in eastern Asia.
（Tanakaほかは、東アジアのこの絶滅危惧種の数が10％増加したと報告している。）

　どの程度だと「最近」とみなされるかは、分野によって異なります。その分野で事実がどれくらいのスピードで蓄積されていくかによるからです。判断は慎重に行ない、先輩の研究者や経験豊富な同僚にアドバイスを求めましょう。

Column　過去の研究について述べる際の時制の目安

過去の研究について引用する際は、以下を目安にするとよいでしょう。

引用する内容	時制
すでに確立され、一般化されている過去の研究結果	現在形
研究のサンプルや母集団に固有のもので、一般化されていない過去の研究結果	過去形
最近の研究で行なわれたこと	現在完了形

ミス14 研究目的を記述する際の時制がおかしい

校正者の知恵！

● 研究目的は過去形で書くのが基本

　研究論文では、実施した調査で行なったこととわかったことを記述します。したがって、用いた方法と得られた結果は当然過去形で報告します。それ以外に過去形で記述すべきものは何でしょうか。次のイントロダクションの文で考えてみましょう。

> 研究は過去に行なわれたことだから過去形

誤 The aim of our study is to determine the local structure around Ge in lithium-germanate glasses.

正 The aim of our study was to determine the local structure around Ge in lithium-germanate glasses.
（我々の研究目的は、リチウムゲルマネートガラス中のゲルマニウムの局所構造を特定することだった。）

　これは、アブストラクトやイントロダクションでしばしば見られるミスです。著者は、研究について「今まさに初めて書いているのだ」と考えて、過去形ではなく現在形を使ってしまうようです。
　しかし、研究が行なわれたのは過去のことであり、目的が設定されたのは、研究がはじまるもっと前のことだ、というのがポイントです。したがって、研究のねらいや目的を述べるときは、過去形を使います。
　以下も適切な文です。主語が「研究の目的」から「論文の目的」に変わっていることに注目して読んでみてください。

正 The aim of this paper is to describe the local structure around Ge in lithium-germanate glasses.
（この論文の目的は、リチウムゲルマネートガラス中のゲルマニウムの局所構造について説明することである。）

この場合、過去に行なわれた研究から、今読者が読んでいる論文に焦点が移っているので、現在形が使われます。
　先ほどの例文と異なり、主語が「論文の目的」になっているので、動詞にdetermine（特定する）ではなくdescribe（説明する）が使われていることにも注目しましょう。

Column　特定の時制で使われる語句

単語によっては、ほぼ特定の時制でしか使われないものがあります。以下の色文字の語(句)はどの時制で使われるかを頭に入れておきましょう。

Last year, we presented two papers at this conference.（過去形）
（**去年**、私たちはこの学会で2本の論文を発表した。）

One year ago, we presented two papers at this conference.（過去形）
（1年**前**、私たちはこの学会で2本の論文を発表した。）

Currently, these surveys involve a limited number of subjects.（現在形）
（**現在**、これらの調査は限られた数の被験者にしか行なわれていない。）

Currently, these surveys are being conducted in two regions.（現在進行形）
（**現在**、これらの調査は2つの地域で行なわれている。）

The role of this protein has not been understood thus far.（現在完了形）
（このタンパク質の役割は、**これまでのところ**解明されていない。）

A new technique has been developed recently to overcome this problem.（現在完了形）
（この問題を克服するため、**最近になって**新技術が開発された。）

Recently, Tanaka et al. reported the presence of this species in three other prefectures.（過去形）
（Tanakaほかは**最近**、ほかの3県にもこの種が存在することを報告した。）

ミス15 主語と動詞の呼応がおかしい

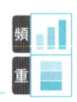

校正者の知恵！
- 文中の主語を見極め、適切な動詞の形を選ぶべし

　主語と動詞の呼応に関する基本的なルールはよく知られているにもかかわらず、しばしばミスがあります。主語と動詞の呼応に関する間違いやすい例を見てみましょう。

> 誤〉 Six months <u>has</u> elapsed since his first visit, with no signs of inflammation.
> （主語のmonthsは複数形）
>
> 正〉 Six months <u>have</u> elapsed since his first visit, with no signs of inflammation.
> （彼の最初の訪問から6か月がたつが、炎症の兆候は見られない。）

　この場合、six monthsは1つの期間ですが、文法上の主語は複数形（months）です。したがって、hasではなくhaveを使います。

> 誤〉 The mean age of participants <u>were</u> 32.01 years.
> （主語はparticipantsではなく単数のage）
>
> 正〉 The mean age of participants <u>was</u> 32.01 years.
> （参加者の平均年齢は32.01歳だった。）

　動詞にもっとも近い名詞は複数形のparticipantsですが、この文の主語は単数形のageです。よって、動詞はwereではなくwasを使います。

> 誤〉 The eligibility criteria for this examination <u>was</u> met by 40 students.
> （主語criteriaは複数形）

> **正** The eligibility criteria for this examination were met by 40 students.
> （40人の生徒がこの検査の適格条件を満たした。）

criteriaは単数形と誤解されやすい単語ですが、criterionの複数形です。dataやphenomenaなど、複数形が不規則変化する名詞（語尾にsやesをつけても複数形にならない名詞）のうち、よく見かけるものを覚えておきましょう。

Column　不規則変化する名詞

	単数形	複数形		単数形	複数形
補遺	addendum	addenda	幼虫、幼生	larva	larvae
藻類	alga	algae	媒体、媒質	medium	media
データ	datum	data	核	nucleus	nuclei
場所、遺伝子座、軌跡	locus	loci	半径	radius	radii
桿菌	bacillus	bacilli	卵子	ovum	ova
バクテリア、細菌	bacterium	bacteria	門	phylum	phyla
誤り、誤字、誤植	erratum	errata	現象	phenomenon	phenomena
焦点	focus	foci	刺激	stimulus	stimuli
真菌類、菌類	fungus	fungi	講義要綱、シラバス	syllabus	syllabi
属	genus	genera	椎骨	vertebra	vertebrae

問題にトライ　　解答はp.268

カッコ内の適切な語を選んでください。

① Scientific knowledge of the risk factors for these diseases (is/are) limited.
② The design of the pressure relief valves (is/are) described in the next section.
③ The genera to which the specimens belonged (was/were) determined after the collection.

ミス16 誤解を招く態の使用

校正者の知恵！

● 態は伝えたい意味をよく考えて選ぶべし

能動態と受動態のどちらを選ぶかは、通常は文のスタイルの好みの問題であり、著者が文のなかで何を強調したいかによります。

しかし、その選び方を誤ると、文法上のミスを招いたり、本来の意図とは異なる意味の文になってしまったりすることがあります。

次の2つの文は使われている態が違うだけですが、意味の違いがわかるでしょうか。

例

① The temperature in the room increased by 2℃.（能動態）
（部屋の温度が2℃上がった。）

② The temperature in the room was increased by 2℃.（受動態）
（部屋の温度が2℃上げられた。）

①の文は、何らかの要因によって室温が自然に上がったことを意味しています。そこには、人間の意図的な行為は関与していません。

②の文は、誰かが室温を意図的に上げたことを意味しています。

このように、態が異なると意味が変わることがあるのです。

不適切な態を使うことで、正確さが損なわれる例を見てみましょう。以下は結果（Results）セクションの文です。

著者が直接発現を増やしたわけではない

誤 The expression of protein X was increased in the epidermis of patients with atopic dermatitis.

正 The expression of protein X increased in the epidermis of patients with atopic dermatitis.
（アトピー性皮膚炎患者の表皮で、タンパク質Xの発現が増加した。）

誤文では、研究者自身の手で直接タンパク質Xの発現が増やされたことが示唆されますが、実際に著者が言いたいのは、発現の増加を確認したことです。このように、受動態を使うことで著者の意図とは異なるニュアンスで伝わってしまう可能性があり

ます。

　これと逆のミス（つまり能動態を間違った形で使うこと）は少ないですが、目立つミスであることには変わりません。次の例を見てみましょう。

誤 The temperatures and humidity levels listed below are the averages of five measurements noted while the experiments conducted.

実験は誰かによって実施されるもの

正 The temperatures and humidity levels listed below are the averages of five measurements noted while the experiments were conducted.
（以下に挙げた温度と湿度は、実験中に記録された5回の測定の平均値である。）

　実験が自動的に行なわれることはありません。「誰かによって」行なわれるのです！　よってここでは受動態が適切です。

問題にトライ　　　　　　　　　　　　　　　解答はp.268

カッコ内の適切な語（句）を選んでください。

① The concentration of Cu (maintained/was maintained) at 100 mM by adding the catalyst.

② The increased airflow in the air-conditioned room caused the skin of the face to (dry/be dried).

③ Cardiac patients may require life support even after they (discharge/are discharged) from the hospital.

ミス 17 他動詞の目的語が抜け落ちている

校正者の知恵！

● 他動詞を使う際はその動詞が作用する対象を確認すべし

　他動詞は、後ろに目的語をとります。たとえば、She filled out the application form.（彼女は申込書に記入した。）という文では、filled が他動詞で form が目的語です。他動詞は、その動詞の作用が、ある対象に及びます。例文では、書式に対して記入が行なわれるわけです。

　　　　　　　　　　　　　　他動詞
　　　　　　　　She filled out the application form.
　　　　　　　主語　　　　　　　　　　　　　目的語

　つまり、他動詞を使った文では、作用が及ぶ対象（目的語）が必要なのですが、日本人著者の論文では目的語がないというミスが見られます。
　他動詞を使った文では、その動詞によって「何を」行なったか、「誰に」行なったかという問いをたてて、確認するようにしましょう。次の文を見てください。

例

I performed an experiment.
（私は実験を実施した。）
何を実施した？➡実験

They presented a poster at the conference.
（彼らは学会でポスターを展示した。）
何を展示した？➡ポスター

They carried the injured player out on a stretcher.
（彼らは負傷した選手を担架に乗せて運んだ。）
誰を運んだ？➡負傷した選手

　これらの文で動詞の目的語を省略してしまうと、文法的に不完全な文になり、読者を混乱させます。たとえば、上記の3つ目の文を They carried on a stretcher. とすると、読み手は強い違和感を覚えます。
　目的語を書き忘れるだけでなく、そもそも必要ないと思い込んでいる著者もいま

す。著者にとっては、その文が何について述べているのかは自明です。自分が言おうとしていることは、当然ながら自分でわかっているからです。しかし、目的語の欠如は文法上の明らかなミスであり、著者が言おうとしていることを知らずに初めて文章を読む読者は混乱します。以下の例で、この問題点を説明しましょう。

> interview は他動詞だから目的語が必要

誤 In this study, we interviewed about their perceptions and anxieties.

正 In this study, we interviewed subjects about their perceptions and anxieties.
（この調査では、被験者たちの認識や不安についてインタビューを行なった。）

誤文を読むと、「誰にインタビューを行なったのだろう？」という自然な疑問が湧いてきます。答えは続きを読めばわかるかもしれませんが、読者に疑問を抱かせ、著者の意図について考えさせてしまうような論文は、科学論文としてはお粗末です。

> process は他動詞だから目的語が必要

誤 Primates do not always process on the basis of facial expressions.

正 Primates do not always process threat stimuli on the basis of facial expressions.
（霊長類は、必ずしも顔の表情にもとづいて脅威刺激を処理するわけではない。）

やはり誤文を読むと、「霊長類はいったい何を処理するのだろう？」という疑問が湧いてきて、読者はイライラするかもしれません。

ミス18 自動詞を受動態で使う

> **校正者の知恵！**
> ● 受動態を作ってみて違和感があるようなら自動詞の可能性を疑うべし

　自動詞は目的語をとらないので、受動態を作ることができません。たとえば、次の文について考えてみてください。受動態にできるでしょうか。

【主語】　【自動詞】
After surgery, six patients died in the hospital. ◀ 目的語がない
（手術後、その病院で6人の患者が亡くなった。）

　受動態にはできないことが、直感的にわかったでしょうか。die は自動詞なので受動態にできません。ほかの例も見てみましょう。

---

adhered は自動詞

誤〉 Many cells were adhered to the collagen substrate.

正〉 Many cells adhered to the collagen substrate.
（たくさんの細胞がコラーゲン基質に接着した。）

　誤文では、「誰かが細胞をコラーゲン基質に接着させた」ことを示唆しているように読めます。adhere は自動詞であり、受動態にはできません。

---

disappeared は自動詞

誤〉 When the mixture was cooled to 77 K, the color was disappeared.

正〉 When the mixture was cooled to 77 K, the color disappeared.
（混合物を77 Kまで冷却すると、色が消えた。）

　色を意図的に「消失させる」ことができる人がいるでしょうか。disappear も自動詞ですから、受動態にはできません。

ミス19 語順や、句や節の位置がおかしい

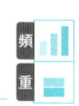

> **校正者の知恵!**
> ● 文法と意味の両方の観点から語句の位置を決めるべし

文中での単語の位置は、以下の2つの重要な要素で決まります。

1. 文法上の正しい語順
2. ほかの単語との意味上のつながりと、関連性の強さ

文法上の誤った語順は、英語と日本語の構造の違いが原因で起こることが多いようです。英語では「主語・動詞・目的語」がもっとも一般的な語順ですが、日本語では「主語・目的語・動詞」となる場合が多いからでしょう。

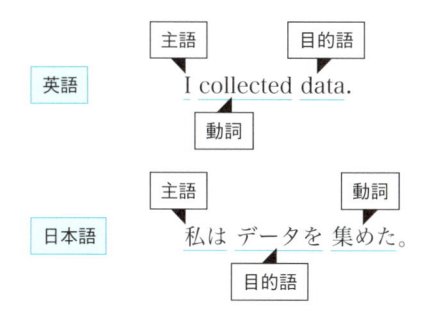

英語: I collected data.（主語：I、動詞：collected、目的語：data）

日本語: 私は データを 集めた。（主語：私は、目的語：データを、動詞：集めた）

また日本語には冠詞がないので、日本人著者は、名詞の前に冠詞以外の単語があると、冠詞を置く場所を間違えたり、どこに冠詞を置けばいいのかがわからなくなったりするようです。

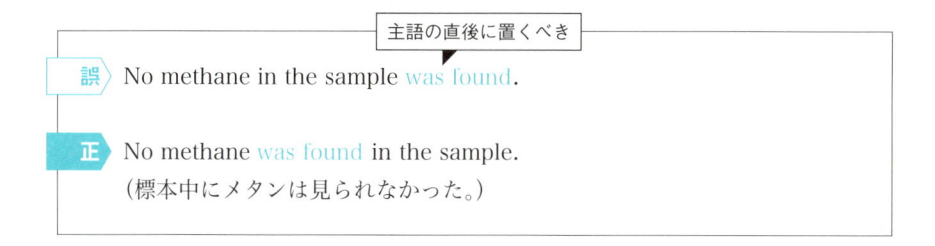

【主語の直後に置くべき】

誤 No methane in the sample was found.

正 No methane was found in the sample.
（標本中にメタンは見られなかった。）

誤文では、動詞 was found は文末に置かれていますが、主語 No methane の後が正しい位置です。

> **all は the の前**

誤 We obtained written informed consent from the all participants.

正 We obtained written informed consent from all the participants.
（すべての参加者から、書面でインフォームド・コンセントを取得した。）

　allやboth といった単語は、定冠詞theや、my、her、theirなどの代名詞の前に置かれます。名詞の前に数字がつくケースも見てみましょう。

> **数字は形容詞の前**

誤 First, pretreated 50 seeds were sown in individual pots.

正 First, 50 pretreated seeds were sown in individual pots.
（まず、前処理を施した50個の種子をそれぞれの鉢に蒔いた。）

　数字や量の表現は、名詞を修飾する形容詞がほかにあれば、その前に置かれます。ただし、数詞と定冠詞がある場合は、定冠詞が先にきます（two the childrenではなく、the two children）。

　一方、文法とは別の問題で語順を間違えると、文の意味や読み手に与える印象が変わることがあります。次の例のように、文中での語句の位置が異なることで、まったく違った意味になってしまうことがあるのです。

避けるべき The universe expanded from a single point after a violent explosion according to the big bang theory.

> 背景を示しているので文頭にあるべき

好ましい According to the big bang theory, the universe expanded from a single point after a violent explosion.
（ビッグバン理論によると、宇宙は激烈な爆発の後、ある1点から拡がった。）

色文字の句は、この文で言おうとしていることの背景を示していますから、文頭にくる必要があります。文末に配置すると、「explosion（爆発）はビッグバン理論によって起きたものである」と読めてしまいます。

> **誤** Bioactive agents like flavonoids were present in all these samples, which protect against oxidative damage.
> 　　標本が酸化的損傷を防いでいるように読める
>
> **正** Bioactive agents like flavonoids, which protect against oxidative damage, were present in all these samples.
> （酸化的損傷を防ぐフラボノイドのような生物活性剤は、これらのすべての標本に存在した。）

酸化的損傷を防ぐのは、フラボノイドです。しかし誤文のように、which protect against oxidative damage という節を flavonoids から離れた位置に置くと、この節に近い samples（標本）が酸化的損傷を防いでいることになってしまいます。修飾しようとする語（ここでは flavonoids）のすぐ後に置きましょう。

> **誤** The mean performance level in group A was lower than that in group B significantly.
> 　　文末に置くと lower ではなく文全体を修飾しているように読める
>
> **正** The mean performance level in group A was significantly lower than that in group B.
> （グループAの性能レベルの平均値は、グループBにくらべて有意に低かった。）

significantly という単語は、違いの程度を表すときに使われます。よって、形容詞 lower の直前に置く必要があります。文末に置くと、文法的に正しくない印象を与え、lower の前に置いたときとは意味が異なってきます。次の例のように形容詞を修飾する副詞は、必ずその形容詞の前に置くようにしましょう。

例 This is bad weather unusually. ではなく、This is unusually bad weather.（尋常でない悪天候だ。）。

<u>naturally が「当然のように」という意味に解釈される</u>

避けるべき The plants were naturally grown in a compost-soil mixture.

好ましい The plants were grown naturally in a compost-soil mixture.
（その植物は、混合培養土のなかで自然に成長した。）

　最初の文では、naturally という単語が「当然のように」という意味に解釈されてしまう可能性があり、「その植物が研究者の手によって混合培養土のなかで育てられたのは当然のことである。」ととられてしまいます。これは、naturally が「当然のように」という意味で使われる場合、たいてい動詞の前に置かれるからです。

　2つ目の文なら、植物が（人工的にではなく）自然な形で成長している、という意味になります。

　ただし、すべての副詞が必ず動詞の後にくるということではないので、注意してください。どの位置にくるかは、それぞれの単語の用法と文脈次第です。

問題にトライ

解答は p.269

次の語句を正しい語順にしてください。

① my all research
② distinct two processes
③ five the soil samples obtained from this site
④ the Likert 7-point scale
⑤ the all 10 prefectures
⑥ The nature of donor ligands affects directly the polymerization behavior.

ミス20 品詞の種類を間違える

> **校正者の知恵！**
> ● 伝えたい内容を意識しながら品詞を選ぶべし

●品詞の単純ミス

　以下のように、動詞を使うべきところで名詞を使ってしまうというミスは、単なる不注意か、品詞の区別がついていないことが原因で起こります。

> approval は名詞
>
> **誤** This drug was approval for the treatment of skin ulcers by the Japanese Ministry of Health in 1991.
>
> **正** This drug was approved for the treatment of skin ulcers by the Japanese Ministry of Health in 1991.
> （この薬は、皮膚潰瘍の治療薬として1991年に日本の厚生省の認可を受けた。）

　この文では、「認可を受けた」という行為について述べているので、動詞approvedを使わなければなりません。
　もっとも混同されやすい品詞は、形容詞と副詞です。

> **誤** Patients with life-threatening diseases often have anxiety associated with an uncertainly future.
>
> uncertainly は副詞
>
> **正** Patients with life-threatening diseases often have anxiety associated with an uncertain future.
> （生命を脅かす疾患を有する患者は、将来の不確実さに関する不安感を抱きがちである。）

　ここでは名詞futureを修飾しているので、副詞ではなく、形容詞のuncertainを使

わなければなりません。使おうとしている単語の品詞が不確かなときは、辞書で確認しましょう。

● **文法的には正しいが意味が間違っている場合**

先に挙げたミスは、初歩的な見落としでしょう。しかし、最終的に書き上げた文が文法的に正しいがゆえに、意図する内容と違うのを見逃してしまうケースも見られます。
具体的にどういうことなのか、まずは次の2つの文の意味の違いを考えてみてください。

例

① The harsh school rules were criticized by parents.
（学校の厳格な規則は親たちによって批判された。）

② The school rules were harshly criticized by parents.
（学校の規則は親たちによって厳しく批判された。）

①の文では、形容詞のharshがschool rulesを修飾していますが、②の文では、harshの副詞形であるharshlyが、「両親がその規則をどのように批判したか」を説明しています。どちらの文も文法的に正しいので、著者は意図する内容によってどちらを使うかを判断する必要があります。
別の例を見てみましょう。

> moderately が observed を修飾している
>
> **誤** Staining of the tumor cells was moderately observed.
>
> **正** Moderate staining of the tumor cells was observed.
> （腫瘍細胞にはある程度の着色が見られた。）

どちらも文法的には正しい文です。最初の文では、Staining of the tumor cellsが「適度に（あるいは不完全に）観察された」と言っています。
しかし著者が説明したいことがどの程度着色されたかであり、観察の様子ではないのであれば、2文目のようにstainingをmoderateで修飾するか、あるいは次のようにthe tumor cellsを主語にした文に修正する必要があります。

> **正** The tumor cells were moderately stained.
> （腫瘍細胞には、ある程度の色がついた。）

　このようなミスは、程度を表す副詞（moderately、lightly、extensively、significantlyなど）を使うときによく起こります。また、著者が「単語が形容詞でも副詞でも、意味と機能は同じ」と思い込んでいる場合に起こります。ミスを防ぐために、副詞は動詞や形容詞を修飾するもの、ということを忘れないようにしましょう。

例 slightly modified（わずかに修正した）、slightly sour（やや酸っぱい）

　副詞を使うときは、動作や程度について説明しているかどうかを厳しく見直しましょう。動作も程度も説明していなければ、副詞を正しく使えていないということです。

ミス21 代名詞が何を指すのかわからない

校正者の知恵！

- 代名詞を使う際は何を指すのかを意識すべし

文のなかでit、they、this、whichなどの代名詞が使われていて、その代名詞が何を指すのかがはっきりしない曖昧な文章を見かけることがあります。

> **誤** Collecting DNA samples of bonnet macaques in the field will involve low effort if non-invasive methods are used. These include saliva, urine, and stool.
>
> （theseが何を指すのかわかりにくい）
>
> **正** Collecting DNA samples of bonnet macaques in the field will involve low effort if non-invasive methods are used. DNA samples that can be obtained non-invasively include saliva, urine, and stool.
>
> （非侵襲的方法を使えば、野外でのボンネットモンキーのDNA標本採取にはさほどの労力を要しない。非侵襲的に得られるDNA標本は、唾液、尿、便などである。）

誤文を読むと混乱するのではないでしょうか。なぜなら、saliva（唾液）、urine（尿）、stool（便）は、methods（方法）ではないからです（そして、bonnet macaquesでもありません）。一読しただけではtheseがDNA samplesを指すことを理解できず、繰り返し読み直す必要がありそうです。

多くの著者は、このようなミスをおかしていることに気づきません。なぜなら、執筆している本人は自分の研究について知っており、自分が使った代名詞が何を指すのかわかっているからです。また、名詞や名詞句をなるべく使わないようにして語数を減らそうとする著者もいますが、そのせいで混乱が生じてしまうこともあります。

明快な文章にするためには、反復は問題ないどころか、必要不可欠とも言えます。査読者も、著者が言おうとしていることを理解するために推測したり、何度も読み返したりする必要がなくなります。

> **誤** The preliminary reports of both these products were published in May and November of the same year. They filed for patents one year later in 1985.

（they が指す名詞が存在しない）

> **正** The preliminary reports of both these products were published in May and November of the same year. Wong et al. filed for patents one year later in 1985.
> （両製品に関する予備調査報告書が、同じ年の5月と11月に発表された。Wongほかは、1年後の1985年に特許を申請した。）

> **正** Wong et al. published the preliminary reports of both these products in May and November of the same year. They filed for patents one year later in 1985.
> （Wongほかは、両製品に関する予備調査報告書を、同じ年の5月と11月に発表した。彼らは、1年後の1985年に特許を申請した。）

上の例は、代名詞が指す名詞がないにもかかわらず、代名詞を使ってしまったケースです。誤文では、1文目で特許申請者が登場しておらず、誰が特許を申請したのかわかりません。代名詞を使う際には、それが何を指しているのかを意識しながら用いるようにしましょう。

Column　おかしな例

Further studies should include patients with myocardial symptoms after non-cardiac surgery only, with researchers specially focusing on their depression state.

うつ状態なのは患者ですか。研究者たちですか。誤解を防ぐためには、この文をどのように書き換えたらよいでしょうか。以下が改善例です。

Further studies should include patients with myocardial symptoms after non-cardiac surgery only, with researchers specially focusing on the depression state of the patients.

ミス22 関係代名詞のwhichとthatを使い分けられない

> **校正者の知恵！**
>
> ● that と which は、関係代名詞節の情報が必須のものか付加的なものかによって使い分けるべし

関係代名詞のthatとwhichには同じような用法もありますが、必ずしも交換可能というわけではありません。thatは、ある名詞の意味を表すのに不可欠な説明を加えるときに使われます。一方のwhichは、通常、ある名詞に付加的な情報を加えるときに使われます。

この違いを理解するために、次の文を見てみましょう。

例 Carnivorous plants, which consume insects and small animals, are generally found in regions with poor nutrient supply.
（食虫植物は昆虫や小動物を食べる植物だが、通常は養分の乏しい地域で見られる。）

この文では、食虫植物がどこに分布しているかに焦点が置かれています。食虫植物が昆虫や小動物を食べるという説明は、付加的情報にすぎません。

whichをthatに置き換えるとどうなるでしょうか。

例 Carnivorous plants that consume insects and small animals are generally found in regions with poor nutrient supply.
（昆虫や小動物を食べる食虫植物は、通常は養分の乏しい地域で見られる）

この文では、「食虫植物には何種類かあるが、養分の乏しい地域で見られるのは、昆虫や小動物を食べる種類のものだ」ということが示唆されています。

付加的な情報を加えるときはwhich節を使い、最初の例文のようにカンマで区切ります。

付加的情報を加えるときにthatを使うのは誤りです。また、関係代名詞thatの前にカンマを入れることも正しくありません。

> **are unicellular microorganisms は付加的情報**
>
> **誤** Bacteria that are unicellular microorganisms do not have a membrane-enclosed nucleus.
>
> **正** Bacteria, which are unicellular microorganisms, do not have a membrane-enclosed nucleus.
> （バクテリアは単細胞微生物だが、膜で包まれた核を持っていない。）

　誤文は不合理な文です。バクテリアはみな単細胞だからです。bacteria that are unicellularとすると、「バクテリアには単細胞と多細胞の2種類があり、著者は単細胞のバクテリアについて述べている」と思われてしまいます。

　正しい文では、「バクテリアは膜で包まれた核を持っていない」という本質の部分が読みとれます。which are unicellular microorganismsの句はカンマで区切られているので、バクテリアに関する補足情報にすぎないことを示しています。

　ではthatの代わりに、誤ってwhichを使うとどうなるか見てみましょう。

> **which以下は必須の情報**
>
> **誤** We selected papers, which report factors associated with the stress levels of flight attendants.
>
> **正** We selected papers that report factors associated with the stress levels of flight attendants.
> （我々は、フライトアテンダントのストレスレベルに関わる要因について報告する論文を選んだ。）

　最初の文は、著者が単にある論文を選んだ（そしてそのほかの情報はそれほど重要ではない）、という意味になってしまいます。さらに、「過去に出版されたすべての論文が、フライトアテンダントのストレスレベルに関わる要因について報告したものである」と暗に示してしまっています！

　著者は、どのような論文を選んだのかを述べたかったはずなので、ここではthatを使わなければなりません。

ミス23 不可算名詞を数えてしまう

校正者の知恵！

● 論文でよく使う不可算名詞を覚えておくべし

　不可算名詞であるにもかかわらず、可算名詞のように使っているミスを見かけます。たとえばdataはdatumの複数形ですが、20 dataなどとするのは間違いです。dataは不可算名詞だからです。以下の例も不可算名詞を使った文です。

> feedbackは不可算名詞
>
> 誤　The intervention group received six personalized feedbacks sent over the course of three months.
>
> 正　The intervention group received six personalized feedback reports sent over the course of three months.
> （介入群は、3か月の間に6つの個人別フィードバックレポートを受けとった。）

　feedbackは不可算名詞なので複数形にはなりません。ほとんどの文法上のミスに言えることですが、このミスも非常に目立つので、査読者から英語に対する否定的なコメントを受けやすくなります。辞書を引いて可算名詞かどうかを確認しましょう。
　researchとstudyは多くの場合交換可能ですが、この2つの用法は異なります。researchはstudyと違って、数えられません。

> researchは不可算名詞
>
> 誤　Three researches have been conducted on the prevalence of intestinal parasites in pet animals from this region.
>
> 正　Three studies have been conducted on the prevalence of intestinal parasites in pet animals from this region.
> （この地域の愛玩動物における腸内寄生虫の流行について、3種類の調査が実施されている。）

　複数形で使いたいのであれば、studiesを使いましょう。

問題にトライ

解答は p.269

次の3つの文のうち、誤って不可算名詞を可算名詞として使っているものはどれでしょうか。

① Twenty samples of soil were collected.

② The survey provided us an information on nurses' job satisfaction.

③ Seven plasmas were collected from the mice with low levels of interleukin-6.

ミス24 名詞の単数形と複数形の落とし穴

校正者の知恵！

- 名詞の前にある数量を表す単語をチェックせよ

　もっとも頻繁に見られ、なおかつ目立ってしまう文法上のミスは、じつはもっとも簡単に防げるものでもあります。これは、複数のものに対して単数形を使い、単数のものに対して複数形を使ってしまうミスです。
　ここで紹介する簡単なポイントを頭に入れておけば、こうしたミスを防ぐことができます。

●複数形を使う場合

名詞の前で以下の語句を使う場合、名詞は複数形にしましょう。

> all、numerous、a number of、many、both、a variety of、
> several、few、an array of、multiple、one of the、
> twoやforty-oneのような1より大きな数

【複数であることを示している】

誤 The CT scan revealed multiple large cervical lymph node.

正 The CT scan revealed multiple large cervical lymph nodes.
　　（CTスキャンで、複数の大きな頸部リンパ節が見つかった。）

---

　multiple、both、severalなど、数量を表す形容詞は、数が2つ以上であることを示します。したがって、後に続く名詞は複数形です。

【one of theの後は複数形】

誤 One of the trait of type D personality is negative beliefs.

正 One of the traits of type D personality is negative beliefs.
　　（タイプD気質の特徴の1つとして、マイナス思考が挙げられる。）

one of the ～は、複数あるもののなかの1つを意味します。先の例では、タイプDの気質の特徴は複数あり、そのなかの1つの特徴がマイナス思考だということです。したがって、one of the の後に続く名詞は複数形になります。

● 単数形を使う場合

名詞の前に a/an、one、each、every を使う場合は、名詞は単数形にしましょう。

> aは単数名詞につける

誤 This species is characterized by the presence of a wrinkled surfaces.

正 This species is characterized by the presence of a wrinkled surface.
（この種は、しわのある表面が特徴だ。）

「ミス8」で説明したように、単数の可算名詞の前には不定冠詞aまたはanをつけます。

> eachは単数名詞につける

誤 Figure 2 shows the rainfall received during this period in each regions.

正 Figure 2 shows the rainfall received during this period in each region.
（図2は、各地域におけるこの期間中の降水量を示す。）

eachは、あるもののうちの不特定の1つを意味します。したがって、eachに続く名詞を複数形にするのは間違いです。

> この文の有病率は1つだけ

誤 The prevalence rates of autism spectrum disorder are <1%.

正 The prevalence rate of autism spectrum disorder is <1%.
（自閉症スペクトラムの有病率は1%未満である。）

上記のミスは、つい見落としてしまうポイントです。有病率と言うと、2つ以上の数値がありそうですが、この文で述べられているのは1つの数値だけ（<1%）です。

ミス25 形容詞を複数形にしてしまう

校正者の知恵!

- 形容詞の働きをする名詞は複数形にならないので注意

英語には、形容詞の複数形はありません。「ガラス製の7つの箱」を、seven glasses boxesと言うとどこか変ですね。複数形になるのはboxesだけなので、seven glass boxesが正しい形です。

同様に、beautiful door handle（美しいドアノブ）のように、名詞が形容詞の働きをしている場合も複数形にはしません。

> antibioticsは形容詞として機能している

誤 They isolated five antibiotics substances from cultures of *Pseudomonas aeruginosa*.

正 They isolated five antibiotic substances from cultures of *Pseudomonas aeruginosa*.
（緑膿菌を培養して5種類の抗生物質を分離した。）

上の例では、名詞antibioticが形容詞として機能し、substancesを修飾しています。antibioticを形容詞的に用いる場合、複数の種類の抗生物質について述べたとしても、複数形にはなりません。

> beamは形容詞として機能している

誤 In this experiment, we tested a 6-beams implosion.

正 In this experiment, we tested a 6-beam implosion.
（この実験では、6ビーム爆縮のテストを行なった。）

上のように、複合形容詞（2つの単語をハイフンでつないだ形容詞）に2以上の数が含まれていても、複数形にはなりません。よって、a 5-feet-tall womanとは言わず、a 5-foot-tall woman、またはa woman who is 5 feet tall（身長5フィートの女性）と言います。

ミス26 項目列記の際にandが抜けている

校正者の知恵！
- 2つ以上の項目を列記する場合に接続詞のandを忘れるべからず

2つ以上の項目を列記する際は、最後の項目の前に接続詞andを置き、列記した項目の最後であることを示します。

> **誤** Compounds such as salicylate, phenol, naphthol have been used as alternatives.
> （andが抜けている）

> **正** Compounds such as salicylate, phenol, and naphthol have been used as alternatives.
> （代用品として、サリチル酸、フェノール、ナフトールなどの化合物が使われた。）

上の文では、一連の化合物のうちnaphtholが最後の項目なので、その前にandを置く必要があります。

> **誤** In one group, there was a significant correlation between subject age and the attention score, between sociability and the confidence score.
> （andが抜けている）

> **正** In one group, there was a significant correlation between subject age and the attention score, and between sociability and the confidence score.
> （1つのグループで、被験者の年齢と注意のスコア、および社会性と自信度のスコアの間に有意な相関が見られた。）

ここでは、2つの相関関係について述べられています。andが抜けていると、読者は、さらに3つ目以降の相関について述べられると誤解してしまう可能性があります。

■文構造のミス

ミス27 比較対象が不合理

> **校正者の知恵！**
> ● 比較の際は、比較する対象が同類のものかどうかを意識せよ

比較の英文では、論理的におかしな文を書いてしまうミスが発生します。非論理的な比較がどのようなものかを理解するために、まずは次の例文を見てみましょう。

例 The design of Annie's tablecloth was better than Jill.

上の文は文字どおりに解釈すると、デザインとデザインを比較しているのではなく、デザインと人物を比較しているように読めます。このミスは、次のように書き換えることで修正が可能です。

例 The design of Annie's tablecloth was better than the design of Jill's tablecloth.
（アニーのテーブルクロスのデザインは、ジルのデザインよりもよかった。）

これで、アニーとジルのテーブルクロスのデザインを比較しているのだということがはっきりしました。
さらに代名詞を使えば、意味を変えずに単語の繰り返しを避けることができます。

例 The design of Annie's tablecloth was better than that of Jill's.

文法的にも正しく、よりすっきりした文になりますね。
非論理的な比較は、曖昧な思考から生まれるミスです。文の内容を吟味することに気をとられるあまり、文構造への配慮がおろそかになってしまうのでしょう。

誤 The efficacy of the vaccine containing 3 antigens was greater than the vaccine containing 2 antigens.

> ワクチンの効果ではなくワクチンそのものになっている

> **正** The efficacy of the vaccine containing 3 antigens was greater than that of the vaccine containing 2 antigens.
> （3つの抗原を含むワクチンは、2つの抗原を含むワクチンよりも効能が高かった。）

　誤文では、あるワクチンのefficacy（効能）が別のワクチンそれ自体と比較されているように読めます。代名詞thatを使って書き換えると、2つのワクチンの効能が比較されていることが明確になります。

　このように、比較の際に重要なポイントの1つは、同等、同類のものを比較するということです。たとえば、血糖値と患者を比較するのではなく、血糖値と血糖値を比較するよう注意しましょう。

　また、比較の間違いは、thanではなくcompared toという句を使う場合に起こりがちです。compared toを使うこと自体は間違いではありませんが、学術論文ではcompared toのほうが好まれるという誤解と、thanではシンプルすぎるという思い込みから、この句が濫用されているようです。

　次の3つの文では、この点がわかりやすく示されています。どれがもっともシンプルで、意味が明瞭でしょうか。

例

① Compared to students in group B, those in group A scored better on the test.
（Bグループの生徒とくらべると、Aグループの生徒のほうがテストで好成績を収めた。）

② Students in group A scored better on the test than those in group B.
（Aグループの生徒は、Bグループの生徒よりもテストで好成績を収めた。）

③ The students in group A scored better on the test compared to students in group B.
（Aグループの生徒のほうが、Bグループの生徒とくらべてテストで好成績を収めた。）

　最初の2文は文法的には正しいですが、②のほうがすっきりしていて、単語数も少なくなっています。

　③には問題があります。compared toという句がtestの直後に置かれているので、これではテストと生徒たちが比較されているように読まれる可能性があります。これは、語句の位置を間違えると、いかに誤解を招くかということを示す1つの例です。

このような問題は、compared toではなくシンプルにthanを使うことでスマートに回避でき、ミスを防ぐことが可能です。

比較ではほかにも、2つのものを比較するときに、形容詞を比較級にしていないというミスが見られます。たとえば2本の道路の幅をくらべているとしたら、wideではなくwiderを使わなければなりません。Road A is wider than road B.（道路Aは道路Bよりも広い。）が正しく、Road A is wide compared to road B.やRoad A is wide than road B.は誤りです。

比較級を使った表現になっていない

誤 The number of carboxyl groups was high in sample B compared to sample E.

正 The number of carboxyl groups was higher in sample B than in sample E.
（カルボキシル基の数は、標本Eよりも標本Bのほうが多かった。）

上記の例では2つのものを比較しているので、比較級higherを使わなければなりません。

比較級を使った表現になっていない

誤 The protein content increased rapidly after treatment A compared to treatment B.

正 The protein content increased more rapidly after treatment A than after treatment B.
（タンパク質含有量は、処置Bよりも処置Aの後のほうが、増加速度が速かった。）

上記の誤文でも、2つのものを比較しているにもかかわらず、比較級が使われていません。この場合は、副詞を比較級（more rapidly）に書き換えます。

ミス28 修飾句・修飾節の位置が不適切

校正者の知恵！

- 修飾句・修飾節が意図とは異なるものを修飾する誤解を与えないか確認すべし

英文法における修飾句・修飾節とは、語を修飾し、語の意味を明らかにする句や節のことです。文中の修飾句（節）がおかしな位置にあると、意味が変わってしまったり、混乱が生じたりするだけでなく、こっけいな印象を与えてしまうことすらあります。次の文で具体的に確認してみましょう。

> 修飾句が直後のweを修飾するように見える

誤 As candidates for this treatment, we selected only patients who were too ill to wait for a kidney transplant.

正 As candidates for this treatment, only patients who were too ill to wait for a kidney transplant were selected.
（この治療の候補者には、腎臓移植を待つには病状が重すぎる患者だけが選ばれた。）

よりよい For this treatment, we selected only patients who were too ill to wait for a kidney transplant.
（この治療のために、腎臓移植を待つには病状が重すぎる患者だけを選んだ。）

誤文では、論文の著者自身が治療の候補者であるかのような印象を与えてしまいます。これは、修飾句 as candidates for this treatment が、we の直前に置かれているからです。

このミスは、2つ目の文のように、修飾句の直後に修飾しようとする名詞（ここではpatients）を置くことで修正できます。3つ目の文は、修飾句 as candidates 〜を用いずに、より巧みにミスを回避しています。

> 修飾句がpatientsを修飾しているように見える
>
> **誤** We assessed pain in critically ill patients using the visual analog scale.
>
> **正** We assessed pain in critically ill patients by using the visual analog scale.
>
> （我々は、視覚的アナログ尺度を用いて重病患者の苦痛を評価した。）

　誤文例は、患者が視覚的アナログ尺度を使ったかのような印象を与えます。これは、修飾句のusing the visual analog scaleがpatientsの直後に置かれているため、patients usingをpatients who usedと読む誤解が発生するからです。

　この問題は、usingの前にbyを置くだけで修正でき、混乱を防げます。

　ここで紹介した誤文例は、どちらも一読して違和感があったのではないでしょうか。しかし執筆中の著者は内容に集中するあまり、読者の視点で考えることができなくなるようです。

　比較の間違いと同様に、このミスも内容を伝えようと焦って、構文を見すごしてしまうために起こります。こうした問題に気づくためには、執筆の手を休め、読者の目にどのように映るかという視点で文章を読み直してみることが最善の方法です。

Column　代表的な修飾句・修飾節

英語を母語としない人にとって間違いやすいのは、次の語句ではじまる修飾句・修飾節です。これらの句や節が、修飾しようとしている語の近くにあるかどうかを必ず確認しましょう。

- 現在分詞

    例 having substituted X for Y（YをXに代える）

- which、who、thatなどの関係代名詞

    例 which is an alternative for X（Xに代わるもの）

- ofやinなどの前置詞

    例 of all the participants（すべての参加者のうち）

問題にトライ

解答はp.270

次の文における修飾句の間違いを見つけ正しい文に修正してください。

① The patient was referred to the neurologist with a constant pain in the temples.

② Of the 35 soil samples, we focused on those collected in week 3.

③ Three individuals were reported by Smith et al. carrying this mutation.

ミス29 並列構造が崩れている

校正者の知恵！

- 執筆後に並列構造をあらためて確認すべし

ミスについて考える前に、仲間はずれ探しゲームで遊んだ子供のころを思い出してください。

今ここでやってみましょう。次の単語のなかから、仲間はずれを探してください。

doctor、lawyer、sportsperson、scientist、agriculture、manager、pilot

簡単ですね。答えはagricultureです。ほかは職業名ですが、agricultureは職業そのものを表すからです。

文中で項目をリストアップするときは、すべての項目が同じ形式や性質を持っている必要があります。つまり、リストアップした項目はすべて並列でなければならない、ということです。この構造が崩れると、論理性が失われて読みにくくなります。

並列構造が崩れているのを見つけるのは、仲間はずれ探しゲームと同じです。次の例を見てみましょう。

> **photographyだけ名詞**
>
> 誤 Each specimen was identified, photography, and sketched on the field.
>
> 正 Each specimen was identified, photographed, and sketched on the field.
> （それぞれの標本を野外で見つけ、撮影し、スケッチした。）

誤文では、列記されたうちの2つ目の語（photography）は名詞であり、動詞であるほかの語とは明らかに異なります。また、specimen（標本）がphotography（写真）であるというのも非論理的です。photographedが正しい形ですね。

> **これだけ節**
>
> 誤 This insect is nocturnal, has complex mouthparts, and it causes extensive damage to crops.

正 This insect is nocturnal, has complex mouthparts, and causes extensive damage to crops.
（この昆虫は夜行性で、複雑な口部を持ち、穀物に大きな被害をもたらす。）

誤文では、列記された最初の2項目は動詞ではじまる句ですが、最後の項目だけが、主語itではじまる節になっています。修正後の文ではitがとり除かれ、最後の項目も動詞ではじまっています。

著者は、ある文構造を念頭に置いて書きはじめても、その後、無意識に別の文構造に切り替えてしまうことがあります。それに気づかないままでいると、このようなミスが起こります。

問題にトライ

解答はp.270

次の句のうち、並列構造に誤りがあるものを選んでください。

① instruments that are accurate, portable, and inexpensive

② examinations such as urine analysis, complete blood cell count, serum electrolyte levels, blood glucose levels, and electrocardiography

③ psychological illnesses, including depression, anxiety, and substance abuse

■ 文体のミス

　この項では、使っている構文自体は間違っておらず、単に文章が洗練されていないために、読みにくくなっているミスをとりあげます。そのため、重要度のほとんどは1か2です。この問題は日本人著者に限ったミスではありません。ネイティブの著者が書いた論文にも、同じような問題が見受けられます。

　とはいえ日本人著者にとって、これらの問題をきちんと理解しておくことは重要です。頻繁とまではいかなくとも、よくあるミスであることに変わりはなく、ほかの文法ミスがあれば、文体のぎこちなさもいっそう目につくからです。

　また、ジャーナルから「英語のレベルが求める基準に達していない」というコメントとともに論文が返されても、文体については具体例を挙げたフィードバックがないこともあります。ただ「基準以下」の一言があるだけです。文法上のミスがない場合、このように言われても何が問題なのかわからず、戸惑ってしまうでしょう。

　査読者はそれぞれの分野のエキスパートであり、科学英語のトーンをよく理解しています。ただ、文章のどこが問題なのかを詳しく説明するだけの時間やノウハウは持ち合わせていないかもしれません。とくに、その問題が基本的な文法以外のところにあるのであればなおさらです。そのため査読者たちは、文章について「感じた」ことを端的に述べるだけになります。校正者としての経験から言うと、文体は論文の「印象」を左右する重要な要素なのです。

ミス30　繰り返しや冗長な表現がある

校正者の知恵！

● 言い換え表現を考えることや音読を習慣化しスマートな英文を書くべし

　必要以上の言葉を盛り込んだ冗長な英文はぎこちなく、著者のメッセージがぼやけてしまいます。簡潔に書くことを心がけることで、語数を減らせるだけでなく、読みやすい文章になります。日ごろから、簡潔に書き直せる部分がないかどうか確認することをお勧めします。

　文章を短くするには、いくつかの方法があります。

●より少ない語句で伝える

| 避けるべき | As can be seen from these reports, it is difficult to establish a reference value.（15語） |

削除しても問題ない

| 好ましい | These reports show that it is difficult to establish a reference value.（12語） |

（これらのレポートは、基準値を決めるのが難しいことを示している。）

　上の例で挙げたas can be seen fromをはじめ、as has been observed inやas was shown inといった句は、たいていの場合、削除してもっと簡単な表現に言い換えることができます。

●繰り返しを避ける

| 避けるべき | The three physical therapists who participated in the study had at least five years of experience. The physical therapists all underwent a standardized training regimen.（25語） |

代名詞にすべき

| 好ましい | The three physical therapists who participated in the study had at least five years of experience. They underwent a standardized training regimen.（22語） |

（研究に参加した3人の理学療法士は、少なくとも5年の経験を持っていた。彼らは標準化された訓練メニューを体験した。）

　最初の文章のように同じ語句を繰り返せば誤解は起こりませんが、読み手にとってはわずらわしくなります。専門家らしさがなく、なめらかさを欠いた文になり、語数も増えてしまいます。
　不必要な繰り返しは、たいてい文章の流れを意識していないことから起こります。必ず文章全体を落ち着いて注意深く読み、できれば提出前に声に出して読んでみることが、ミスを避ける最善の方法です。音読することで、ぎこちない繰り返しに気づくことができます。

● 冗長な表現を避ける

> **避けるべき** The trays were placed in an air-conditioned room at a temperature of 22°C for one week.（16語）
> 　　　　温度であることは自明
>
> **好ましい** The trays were placed in an air-conditioned room at 22°C for one week.（13語）
> （そのトレーは、室温を22°Cに保った部屋に1週間置かれていた。）

単位（°C）を見れば、数値が温度を表すことは一目瞭然なので、a temperature of は不要です。

以上のようなミスを避けるため、原稿を書き終えたら、余計な語句を使いすぎていないか、より簡潔な言い方がないかを考えてみましょう。見直しを習慣にすれば、よりスマートな英文を書けるようになるはずです。

Column　　　おかしな例

じつにぞっとする文です！　どれくらい語数を減らせるでしょうか。
It was horrifying for me to observe that each individual person who was listening to my presentation fell asleep during the time when I was commenting to the effect that to be concise is to completely eliminate the possibility of confusion.

改善例
I was horrified to see that everyone listening to my presentation fell asleep when I was explaining how conciseness eliminates confusion.

冗長さを避けるためのさらに詳しいコツは以下の記事を参照してください。
「論文をよりスッキリと簡潔にする10の秘訣」（http://www.editage.jp/insights/10-tips-to-reduce-the-length-of-your-research-paper）

ミス31 修飾語が多すぎる

校正者の知恵！

● 修飾語が多い場合、別の表現で置き換えられないか考えるべし

　簡潔な文を書こうとして、名詞の前に修飾語をいくつもつなげてしまう著者がいます。修飾語の語数が少なければ問題ありませんが、多すぎると読みにくくなってしまいます。修飾される名詞は最後に登場するからです。

避けるべき　修飾語が多すぎる
We noticed right ventricular wall motion abnormalities in patients with this syndrome.

好ましい
We noticed abnormalities in the motion of the right ventricular wall in patients with this syndrome.
（この症状を持つ患者には、右心室の壁の動きに異常があることがわかった。）

　避けるべき例では、abnormalitiesを修飾する形容詞と名詞が多すぎます。読者は修飾される名詞にたどりつくまで、これらの語をすべて覚えておかなければなりません。好ましい例は、abnormalitiesが最初に登場し、その後に前置詞inではじまる説明が続く、ぐっと読みやすい文になっています。

　学術論文では、patient evaluation form（患者評価表）のような名詞の連続や修飾語の連なりが許容されており、とくに医学やライフサイエンスの分野ではよく使われます。問題となるのは、修飾語の連なりが長すぎる場合です。
　著者は、語数を減らそうとして極端に長い修飾語句を使ってしまうことがありますが、簡潔な文を書こうとして明瞭さを失ってしまっては、元も子もありません。

避けるべき　修飾語が多すぎる
We studied the neurological profiles of the abdominal pain of unknown cause group and the abdominal pain with dyspepsia group.

> **好ましい** We studied the neurological profiles of the group with abdominal pain of unknown cause and the group with abdominal pain with dyspepsia.
> （我々は、原因不明の腹痛のグループと、消化不良による腹痛のグループの神経学的特徴を調べた。）

避けるべき例は、名詞に対する修飾語句が長すぎるといかに読みにくいかをよく表しています。じっくり読めば理解できるかもしれませんが、一読して理解するのは難しいでしょう。groupという単語を先に書き、その後に説明を加えれば文がクリアになります。

修飾語句の連続を避けて簡潔に書くために、はじめに略語を決めてしまう方法もあります。たとえば初出時にfocal epilepsy of unknown cause (FEUC)のように略語を定義し、以降は以下のように略語で記述します。

> **正** We studied the differences in neurocognitive functioning between the FEUC group and the BCECS group.
> （我々は、FEUCグループとBCECSグループの神経認知機能の違いを調べた。）

これは、医学やライフサイエンスの分野でよく使われている方法です。

長々とした修飾語の連なりを避けるためには、中心となる名詞を先に示し、その後に前置詞、分詞、代名詞などを使った説明をつけ加えるようにしましょう。

問題にトライ　　　　　　　　　　　　　　解答はp.270

次の句を読みやすいように書き換えてみましょう。

① acute respiratory distress syndrome patients

② a complex prevailing trade wind pattern

③ front-projection display multi-user touch technology

ミス32 動詞がなかなか登場しない

校正者の知恵！

- 1文が長く動詞が後半に登場する場合は、①能動態にする、②文を分ける、などの処理により、読みやすくすべし

　論文執筆中の著者は、読者の視点を見すごしがちです。読み手のことを考え、どのような文構造だと読みやすいのか、あるいは読みにくいのかを理解することが重要です。
　文中で動詞がなかなか出てこない、というミスがよく見られます。これは、読みやすさにどう影響するでしょうか。

> **避けるべき** A retrospective chart review of patients with acquired bilateral superior oblique palsy who were treated at the ABC University School of Medicine between 2000 and 2010 was performed.
> （動詞が文末にある）
>
> **好ましい** We performed a retrospective chart review of patients with acquired bilateral superior oblique palsy who were treated at the ABC University School of Medicine between 2000 and 2010.
> （我々は、2000〜2010年にABC大学大学院医学研究科で治療を受けた後天性両側性上斜筋麻痺の患者の遡及的診療録レビューを実施した。）

　最初の文は、一読して内容をすぐに理解できないのではないでしょうか。これは、文の最後を読むまで、実際に何が行なわれたのか（performed）がわからないからです。そのため、文中に出てきたすべての情報を最後まで覚えておかなければなりません。修正後の文は、能動態を使うことでこの問題を回避しています。
　「学術論文では能動態を避けるべき」という考え方は誤りだと強調しておきます。方法（Methods）などのセクションでは受動態を使うのが一般的ですが、能動態がふさわしい場合も多く、能動態の文を加えることで文体にバラエティが生まれ、文章構成にメリハリが出るのです。

> **避けるべき** Production of these high-performance petrochemicals, which are required on a large scale for use in the construction material for buildings and are associated with excessive CO_2 emission, increases environmental burden.
>
> 動詞が文末にある上、1文が長い
>
> **好ましい** These high-performance petrochemicals are required on a large scale for use in the construction material for buildings. However, they are associated with excessive CO_2 emission and, therefore, their production increases environmental burden.
> （ビルの建設資材には、このような高性能の石油化学製品が大量に使われる。しかしこういった製品には過剰な二酸化炭素の排出が伴うため、その生産によって環境への負荷が高まる。）

最初の文は、読者に延々と疑問を抱かせたまま進み、著者が環境負荷について言いたいことは、ようやく最後で述べられています。これでは読者に負担がかかってしまいます。

また、主題についての補足事項がたくさんあり、肝心な点（環境への負荷が高まっていること）を述べる前にその補足事項を書いているために、わかりにくい文になっています。このようなミスを修正する簡単な方法は、文を2つに分けることです。1文目で補足事項を書いてしまい、次の文で問題点を述べるとよいでしょう。

問題にトライ

解答はp.271

次の文を、動詞が先に登場するように書き換えてください。

Reports that describe depressive factors in patients, including those who were diagnosed with cardiovascular disease, were selected.

ミス33 大げさな言いまわしを使う

校正者の知恵！

- 名詞化された表現を使わずに、動詞を使ってシンプルに表現すべし

通常、行為は動詞で表現するのがベストです。たとえば、I made a decision to visit my new neighbor.（私は新しい隣人を訪ねることにした。）よりも、I decided to visit my new neighbor.と言ったほうが自然です。また、He requested her to help him in the management of his finances.（彼は、家計管理を手伝ってほしいと彼女に頼んだ。）と言うよりも、He requested her to help him manage his finances.と言ったほうが、ずっとこなれています。

抽象名詞decisionとmanagementを使った文には、やや大げさな響きがあります。また、動詞を名詞に換えて堅苦しい表現にしたために語数が増え、その結果、文が入り組んで複雑になっています。

多くの著者に、名詞を含んだ堅苦しい表現を使う傾向が見られます。名詞を使ったほうが文章がフォーマルに見えると誤解しているためです。実際はその逆で、名詞は動詞にくらべて、行為がうまく伝わらない場合が多いのです。このことを示すのが次の例です。

> **避けるべき**　【堅苦しい】　We provide a description of a colorimetric method for the determination【堅苦しい】 of mercury concentration in water samples.
>
> **好ましい**　We describe a colorimetric method for determining mercury concentration in water samples.
> （試料水の水銀濃度を測定するための比色分析法について説明する。）

上の例では、descriptionとdeterminationが堅苦しい表現です。こうした名詞を避けることで、読みやすくなり、語数も減ります。

> **避けるべき** 　These steps were needed for the purpose of inactivation of enzymes that are involved in the degradation of cell wall proteins.
> （堅苦しい）
>
> **好ましい** 　These steps were needed to inactivate enzymes that degrade cell wall proteins.
> （これらのステップは、細胞壁のタンパク質を分解する酵素を不活性化するために必要とされる。）

どちらの文も意味は同じですが、2つ目の文のほうがよりシンプルでしょう。動詞 inactivate と degrade を使って書き換えることで、for the purpose of と that are involved in the という余計な語句がとり除かれたからです。シンプルだからといって、必ずしもインフォーマルにはならないことを覚えておきましょう。

Column 　学術論文でよく使われる堅苦しい表現

修正前	修正後
for the examination [confirmation/identification] of	to examine [confirm/identify]
make a diagnosis of	diagnose
perform a study [an investigation/an assessment] of	study [investigate/assess]
reach a conclusion	conclude
show a tendency to	tend to
for the improvement of	to improve
for the determination [estimation] of	to determine [estimate]
for the purpose of activation などの名詞	to activate などの動詞
to make a recommendation	to recommend
to propose a hypothesis that	to hypothesize that

–tion、–sion、–ment で終わる語には注意しましょう。動詞に書き換えられるものもあるはずです。

ミス34 不要な形式主語構文やthere構文を使う

校正者の知恵！
- 形式主語構文やthere構文は格調高いという思い込みを捨てるべし

次の文を読んでみてください。

例
It is certain that she will arrive on Monday.
（彼女が月曜日に到着するのは確かだ。）
There were no signs of attempted theft.
（強盗未遂の痕跡はなかった。）

itやthereは何を指しているでしょうか。何も指していませんね。
形式主語構文やthere構文を使うのは間違いではなく、とくに強調すべき主語がない場合は、好んで使われるケースもあります。たとえば、以下のような文であれば冗長という印象はないので、このままでも問題ありません。

例
There were no differences between the two treatment groups.
（2つの治療グループに差は見られなかった。）
It is essential to report such cases.
（そのような症例を報告することが重要だ。）

しかし、形式主語構文やthere構文で書こうとすると、同じ意味を伝えるためにより多くの単語を使わなければならない場合があります。たとえば、X is reported to involve Y.（XはYに関係すると言われている。）という文を形式主語ではじめると、It has been reported that X involves Y. となります。書き換えた文は文法的には正しいものの、語数が増え、もとの文にくらべてまわりくどいですね。
この問題を避けるためには、意味を変えずに、形式主語を使わないで文を書き換えられるかどうかを確認します。具体例を見てみましょう。

> **It was found that はなくても問題ない**
>
> **避けるべき** It was found that the resulting X-ray fluxes caused a uniform implosion.
>
> **好ましい** The resulting X-ray fluxes caused a uniform implosion.
> （得られたX線の束によって、均一な爆縮が起きた。）

　避けるべき例の It was found that という部分は、意味に大きな変化を与えているわけではなく、ただ文を冗長にしているだけです。好ましい例は、より直接的な表現になり、なおかつ短くなっています。It was found that を使う著者は多いですが、これはすでに述べたとおり、「複雑な文のほうが格調高い」という誤った思い込みのせいです。上の例のような短い文であれば、読みやすさにはそれほど影響しませんが、この表現が繰り返し登場すると、とても読みにくくなります。

> **形式主語構文** **there 構文**
>
> **避けるべき** It is possible that there is a correlation between vascular calcification and bone turnover.
>
> **好ましい** Vascular calcification may be correlated to bone turnover.
> （血管の石灰化は骨のターンオーバーと相関があるかもしれない。）

　避けるべき例文には、1文のなかに形式主語構文と there 構文があります。好ましい例文は、明確さが増し引き締まった印象です。

　これらの構文を使わずに書くために、文の意味と、文で説明している行為や状態に注目してみましょう。この文の主要なトピックは、血管の石灰化と骨のターンオーバーの間に相関がありそうなことです。それがわかったら、その意味を伝える動詞がないか考えてみます。すると、may be correlated が使えることがわかり、形式主語構文と there 構文を使わない英文ができました。

Column 学術論文でよくある形式主語構文・there 構文

形式主語や there を使った文	修正例
It is known that X influences Y.	X influences Y. (XはYに影響を与える。) X is known to influence Y. (XはYに影響を与えることが知られている。)
It is important to provide sufficient time for subjects to respond.	Subjects should be provided sufficient time to respond. (被験者には、回答するための十分な時間を与えなければならない。)
There were no differences observed in the pre- and post-treatment concentrations.	No differences were observed between the pre- and post-treatment concentrations. (治療前と治療後の濃度に違いは見られなかった。)
There are some reports describing how X influences Y.	Some reports describe how X influences Y. (XがYにどのように影響するかを説明した報告がある。)
It remains unknown how X influences Y.	How X influences Y remains unknown. (XがYにどのように影響するかは依然としてわかっていない。)

ミス35　文が長く複雑

校正者の知恵！

- 情報を整理し、シンプルで長すぎない文にすべし

　文体に関するほかの問題と同じく、過度に長く複雑な文は、思考が十分に整理されていないことの表れです。多くの情報を1つの文に詰め込みすぎているか、あるいは、読み進めづらい複雑すぎる文構造になっている可能性があります。

1文が長すぎる

避けるべき　Only two reports discuss the time required to learn this surgical treatment, with Smith et al. (2012) reporting that operative blood loss decreased significantly after surgeons had treated 20 patients and Black et al. (2013) reporting that both blood loss and operative time decreased after the procedure had been performed in 35 cases, which indicates that the learning curve is steep and stabilizes only after extensive experience.

好ましい　Only two reports discuss the time required to learn this surgical treatment: Smith et al. (2012) have reported that operative blood loss decreased significantly after surgeons had treated 20 patients, and Black et al. (2013), that both blood loss and operative time decreased after the procedure had been performed in 35 cases. Together, these observations indicate that the learning curve is steep and stabilizes only after extensive experience.

（この外科療法を習得するために必要な時間について論じているのは、2つのレポートだけである。Smithほか(2012)では、外科医が20人の患者を手術した後、術中出血量が有意に減少したと報告されており、Blackほか(2013)では、35件の手術後、術中出血量と手術時間がともに減少したことが報告されている。これらの観察結果は、学習曲線が急カーブを描いた後に、十分な経験を積んで初めて安定することを示している。）

　この例のとおり、1文にあまりに多くの情報があると、文がいかに読みにくくなる

かがわかるでしょう。文を書く際は、実際に声を出して読んでいなくとも、次の事実や考察に移る前に、心のなかでひと呼吸置くようにしましょう。

文が長く複雑になってしまう理由の1つに、実際に話しているように書いてしまうことがあります。話すときは、カンマやピリオドに相当する間をとりますね。英文を書く際にも区切りが必要です。好ましい文の例では、事実（Smithほか(2012)とBlackほか(2013)の報告）と結論（学習曲線が急カーブを描いた後に、十分な経験を積んで初めて安定すること）を分けることによって、この問題を解消しています。

科学論文では、文中に項目を列記しなければならないことが多く（たとえば調査対象のリストなど）、このせいで1文が長くなってしまいがちです。しかし、文法的にシンプルで適切に区切られた文であれば、この点は問題になりません。

次のように、1文は決して長くないのに複雑すぎるというケースもあります。

前置詞句が多く、複雑すぎる

避けるべき We discuss in this report how changes in patterns of nutrient requirements in response to changes in weather affected the choice of foods in children and adolescents.

好ましい We discuss how weather-dependent changes in nutrient-requirement patterns affected food choice in children and adolescents.
（天候によって必要な栄養素の傾向が変わったことで、子供や青年の食物選択にどのような影響があったかを説明する。）

避けるべき例を読んでいると、思考の流れが途切れませんでしたか。このケースでは、文が長すぎたり情報が多すぎたりすることが原因で読みづらいわけではありません。ただ、in this report、in patterns of、in response toなど、前置詞ではじまる修飾句が多すぎるのです。修飾句が多すぎると、被修飾句に関する説明をいくつも覚えておかなくてはならなくなり、読者に負担がかかります。

好ましい例ではこれらの句は削除され、名詞の前に形容詞を置く形に、巧みに修正されています（つまりin response to changes in weatherとpatterns of nutrient requirementsを、それぞれweather-dependent changesとnutrient-requirement patternsに書き換えた）。また、the choice of foodsはfood choiceに書き換えられ、in this reportという不要なフレーズもなくなっています。

こうして、前置詞を使った句が減るとともに、読者の負担も軽くなりました！

ミス36 インフォーマルな語句を使う

> **校正者の知恵！**
> ● インフォーマルな短縮形や句動詞は避けるべし

英語ネイティブではない著者、とくに学生は、知らずにインフォーマルな語句を使ってしまうことがあります。これは、話し言葉やくだけた言いまわしでしか使われない単語や句を見分けることができないからです。

学術文献を読み込んで慣れるのが一番ですが、ここで紹介するアドバイスにしたがえば、より洗練された文章が書けるはずです。

● 短縮形を使わない

学術論文で、以下のように短縮形を用いるのは好ましくありません。

インフォーマル　Of the 234 patients, 30 didn't receive any glucocorticoid treatment.　〔短縮形を使っている〕

フォーマル　Of the 234 patients, 30 did not receive any glucocorticoid treatment.
（234人の患者のうち、30人は糖質コルチコイドの投与を受けなかった。）

これは基本中の基本と言えるガイドラインなので、ぜひとも守ってください。そのほかの例は、次の表のとおりです。このほか、could've （→ could have）、we'd （→ we would または we had） なども避けましょう。

修正前	修正後	修正前	修正後
don't	do not	wasn't	was not
doesn't	does not	hasn't	has not
didn't	did not	can't	cannot
isn't	is not	won't	will not

●インフォーマルな句動詞はフォーマルな形式に書き換える

インフォーマルな句動詞の使用にも注意しましょう。ある句動詞がインフォーマルかどうかを確認するのは、簡単なことではありません。辞書でも、この点についてはあまり触れられていないからです。インフォーマルかどうかを見極める力をつけるには、学術文献を読み込んで経験を積むしかありません。

> **インフォーマル** The purpose of our experiment was to figure out an appropriate method for delivering these nanoparticles to tumor sites. 〔インフォーマルな句動詞〕
>
> **フォーマル** The purpose of our experiment was to determine an appropriate method for delivering these nanoparticles to tumor sites.
> （我々の実験の目的は、これらのナノ粒子を腫瘍部位に届けるための適切な方法を見極めることだった。）

ここでも学術文献を読んだ経験を活かしましょう。figure outは、論文で目にするよりも、会話で耳にすることのほうが多いのではないでしょうか。そのほかのインフォーマルな句動詞とその修正例を挙げておきます。

修正前	修正後
bring about	cause
go up/go down	increase/decrease
make up	compose
do away with	discard
get around	avoid、circumvent
get rid of	eliminate
look into	investigate
get in touch	contact
stick to	adhere to
come up with	develop、devise
fill in for	substitute for
go ahead	proceed
keep away from	avoid、abstain from

●weで科学界全体を指すことを避ける

また、科学界全体を指してweを用いるのはやめましょう。

> 【科学界全体を指してweを使っている】
>
> **インフォーマル** As we all know, using statistical methods requires a large sample size and normal distribution of samples.
>
> **フォーマル** Using statistical methods requires a large sample size and normal distribution of samples.
> （統計的手法を用いる場合は、大量のサンプル数と、サンプルの正規分布が必要である。）

学会で成果を発表する際に、聴衆を指す意味でweを使ったり、ポピュラーサイエンスの雑誌記事など、気軽な書き物に用いたりするのであれば、インフォーマルな文でも問題ありませんが、研究論文ではふさわしくありません。

ただ、論文では絶対にweを使ってはいけないということではありません。以下のように、複数の著者を指す意味でweを使う分には、まったく問題ありません。

例 We found that most plants acquired immunity following this treatment.
（この処置を施した植物のほとんどが免疫を獲得したことがわかった。）
We believe that this discrepancy is caused by the difference in the methods used.
（我々は、この不一致は使用した手法の違いによるものだと考えている。）

ミス37 人を主語にすべき文で無生物を主語にしている

校正者の知恵！

- assign、report、conclude、considerの主語は人だと覚えておくべし

　無生物あるいは人間以外の存在に人間的な特性をあてはめることを、擬人化と言います。論文執筆で擬人化が見られるのは、おもに人以外の名詞の後に、人にしかできない行為を表す動詞を使っているケースです。論文執筆では、そのような用法は避けることが望ましいとされています。以下のように、不正確であり、場合によっては非常にぎこちない表現になるからです。

> assignは人による行為

誤 Our study randomly assigned subjects to one of three groups on the basis of their aerobic capacity.

正 In our study, we randomly assigned subjects to one of three groups on the basis of their aerobic capacity.
（研究では、被験者たちをそれぞれの有酸素能力にもとづいて3つのグループに無作為に分けた。）

正 In our study, subjects were randomly assigned to one of three groups on the basis of their aerobic capacity.
（研究で、被験者たちは、それぞれの有酸素能力にもとづいて3つのグループに無作為に分けられた。）

　被験者を決めるのは、研究ではなく研究者です。しばしばこのような使い方をされる名詞には、research、investigation、analysisなどがあります。以下の例はいずれも避けるべきです。

例
- This research reports that ...
- Our investigation concludes that ...
- Their analysis did not consider several factors

■単語の使い方のミス

　単語の使い方に関するミスは、ネイティブではない著者の研究論文に見られる言語的な間違いのうち、かなりの割合を占めます。意外に思われるかもしれませんが、このようなミスが起きるおもな原因は、ボキャブラリーの乏しさではありません。むしろ、単語の使い方のニュアンスをよく理解していないことによるものです。

　あらゆる種類のミスに触れていると紙面が足りなくなってしまうので、本書では、よくあるミスに対する感度を高め、そうしたミスを防ぐ方法の理解を目指します。その前に、英文校正者としての経験にもとづいた注意点を1つ紹介します。単語の選択とその用法について、オンライン検索で見つけたものを盲目的に信じるのはやめましょう。

　英語での執筆に苦労する著者のなかには、出版済み論文で単語が実際にどのように使われているのかを参考にする人がいます。これはよりよい文章を書くために役立つ面もありますが、すべての出版物が信用できるわけではないと知っておくことも重要です。

　ジャーナルのなかには、英語のレベルに寛容なものもあり、出版前に言語的ミスを修正する編集部門を持たないところもあります。したがって、出版物に見られる用法は、たとえよく目にするものであっても、正しいとは限らないのです。

　具体的な例を挙げてみましょう。ノンネイティブの著者が書いたバイオメディカル系の論文には、bilateral eyesやbilateral lungsという語句がよく見られます。これらをオンライン検索すると、かなり多くヒットするはずです。しかし、これは誤った用法です。

　形容詞bilateralは、「両側に影響する、両側に関わる」という意味であり、「左右両方の」という意味で使うことはできません。つまり、bilateralは状態や手順について述べるときに使い、身体の部位や組織を表す際には使えないのです。bilateral eye inflammation（両目の炎症）とは言えますが、inflammation of bilateral eyesとは言えません。

　もちろん、出版済みの論文で使われている用法を一切参考にしてはいけない、ということではありません。慎重になるべきだということです。オンライン検索でヒットした数だけを頼りにするのはやめましょう。出版水準の高さに定評のあるジャーナルだけを検索するようにすれば、より安全です。Google Scholarのような検索エンジンなら、ジャーナルを指定して高度な検索を行なうことができます。

　この項では、自信を持って正しく単語を使うために役立つ、シンプルなヒントを紹介します。

ミス38 似た発音や意味を持つ語を混同する

> **校正者の知恵!**
> ● 日ごろから英単語のニュアンスに注意し、学術論文でよく使われる単語についての理解を深めるべし

単語を選ぶ際にもっともよくあるミスは、意図する単語とつづりや発音が似ていて、意味が異なる単語を使ってしまうことです。

この場合、ネイティブのミスはたいてい単なる言い間違いかスペリングのミスです。しかしノンネイティブは、似ている単語を混同しているためにミスをおかしてしまいます。多くの場合、発音が似ている単語は、意味も（同じではないにせよ）似ています。そのために混乱が生じるのです。例を見てみましょう。

● attain と obtain

> attain は「到達する」という意味

誤 The results attained show that this biomarker has very high diagnostic accuracy.

正 The results obtained show that this biomarker has very high diagnostic accuracy.
（得られた結果は、このバイオマーカーの診断精度が極めて高いことを示している。）

attain は「到達する (reach)」という意味で、おもに状態や状況について述べるときに使います (The larva attains maturity. 幼虫が成長を遂げる。)。obtain は、「得る (get)」という意味です (He obtained data from hospital records. 彼は病院の記録からデータを得た。)。

● future と further

> future study は将来のあらゆる研究を指す

誤 Future study of the association between these factors is required for determining the appropriate treatment.

> 正 Further study of the association between these factors is required for determining the appropriate treatment.
> （適切な治療法を見極めるために、これらの要因間の関連性についてさらなる研究が必要とされる。）

　著者は、論文の考察（Discussion）セクションで、そのテーマに関するさらなる研究によって結果を検証する必要がある、と言おうとしているようです。future study は、過去に研究されたテーマであるかどうかに関わりなく、将来行なわれるあらゆる研究を指します。一方のfurther studyは、そのテーマに関して近い将来行なわれる追加的な研究を指します。

● state と status

> 誤 The demographic data collected include age, sex, number of family members living together, history of hypertension, and marital state.
> stateは「状態」という意味

> 正 The demographic data collected include age, sex, number of family members living together, history of hypertension, and marital status.
> （収集された人口統計データには、年齢、性別、同居家族の人数、高血圧の既往歴、結婚歴などの情報が含まれる。）

　stateの広義の意味は「状態（condition）」なので、marital stateはおかしな言い方です。一方、statusは法的な立場や社会的地位を指すので、ここではstatusが適切です。

　続いて、発音はまったく違っていても、意味が似ていたり重なっていたりする単語を誤って使った例を見てみましょう。

● consent と agree

> consent は「同意する」という意味

誤 Most authors consent that this method is valuable for understanding ecological patterns in uncultured microorganisms.

正 Most authors agree that this method is valuable for understanding ecological patterns in uncultured microorganisms.
（ほとんどの著者が、培養されていない微生物の生態パターンを理解するためにこの手法が有効であることに合意している。）

　consent と agree は、一見似た意味を持っていますが、使い方が異なります。agree は、同じ意見を持っていることを表すときに使います（I agree with him on this point. この点で彼に賛成だ。）。consent は、何かに同意するときに使います（She consented to participate in the study. 彼女はその研究への参加に同意した。）。

　混乱が生じるのは、おそらく agree が consent の意味でも使えるためでしょう（She agreed to participate in the study. 彼女はその研究に参加することに同意した。）。ただし、その逆（agree の代わりに consent を使うこと）はできません。

● limited と few

> limited は不可算名詞とともに使う

誤 Very limited physicians are capable of examining patients with rare diseases.

正 Very few physicians are capable of examining patients with rare diseases.
（希少疾患の患者の診察ができる医師の数は非常に限られている。）

　limited も few も少ないことを意味しますが、使い方が異なります。limited は、量や数が制限されていることを意味するときに、たいてい不可算名詞とともに使われます。

> **例** limited hearing（限られた聴力、聞こえる範囲が小さい）、limited knowledge（限られた知識、知識が乏しい）、limited movement（限られた動き、動く範囲が小さい）

fewは、「数が多くないこと」を意味するときに、可算名詞とともに使われます。

> **例** few patients（少数の患者）、fewer disadvantages（デメリットがより少ない）、few systems（少ないシステム）

そのほかによくfewと混同されるのが、littleです。littleは、limitedと同じく、数ではなく量や程度を表す際に使われます。

● deviseとdevelop

> deviseは物ではなく、アイデアの考案などに使う
>
> **誤** We have devised software specifically designed to simplify these processing steps.
>
> **正** We have developed software specifically designed to simplify these processing steps.
> （これらの処理段階の単純化に特化したソフトウェアを開発した。）

deviseもdevelopも、新しい何かを作ることを意味しますが、deviseはアイデアやプランにしか使われません。一方developは通常、発明された製品やシステムに使われます。

● omitとexclude

最後に次の例文を見てみましょう。

> omitは意図的な消去に使う
>
> **誤** The presence of this mutation omits the possibility of benign lesions.
>
> **正** The presence of this mutation excludes the possibility of benign lesions.
> （この突然変異の存在は、良性病変の可能性を排除している。）

この場合も、omitとexcludeは、広義には「何かを省く」という同じ意味を持っています。違いは、omitは何かを意図的に省く場合にのみ使われる点です。この文では、「良性病変の可能性」が突然変異によって自然に消し去られることを述べているので、omitを使うのは間違いです。またomitは、物や概念によってなされるのではなく、人の行為に用います。

　possibilityと一緒に使う場合は、自然な消去を表すexcludeを使うのがより適切です。またはeliminateを使うこともできます。

　校正者としての経験から言うと、日本人著者の多くは、単語の選択肢をいくつか示されれば、文脈に合った正しいものを直感的に選べるようです。問題は、自分で論文を書くときに適切な単語を思い出せないことでしょう。このため、意図する単語に発音や意味が似ているという理由で、不適切な単語を選んでしまうのです。

　このようなミスは、どうすれば避けられるでしょうか。以下のポイントに留意しましょう。

- 発音や意味が似ている単語を交換可能と思わないこと
- 同じ言葉の繰り返しを避ける目的で、むやみに類義語を使わないこと
- 辞書で言葉の意味と使い方の両方を調べること（辞書の例文を読んで使い方を理解する）
- 自分の専門分野のスタイルガイドを参照して、単語の使い方に関する問題を知ること（たいていのガイドには、間違いやすい単語と用語が掲載されています）。以下は一般的に広く参照されているスタイルガイドです
    The Chicago Manual of Style
    AMA Manual of Style: A Guide for Authors and Editors
    Scientific Style and Format: The CSE Manual for Authors, Editors, and Publishers
    The ACS Style Guide: Effective Communication of Scientific Information
    Publication Manual of the American Psychological Association
- 一流ジャーナルに掲載された論文をよく読み、ある単語が学術論文で通常どのように使われているのかを知ること

　普段から言葉のニュアンスを意識するようにすれば、適切な言葉をスムーズに思い出せるようになるはずです。

問題にトライ

解答はp.271

カッコ内の適切な語を選んでください。

① The discrepancy between these results can be (attributed/contributed) to the differences in the methodology.

② Since the student was suspected to have infectious tuberculosis, he was (insulated/isolated) from others in a private room.

③ We performed another experiment to (conform/confirm) the energy density of the three beams.

④ Lathyrism is a highly (popular/prevalent) neurological disorder in this region.

⑤ Depression in adolescents results from the (cooperation/interplay) between several factors.

⑥ We used the questionnaire to examine the willingness of doctors to (discharge/delegate) responsibilities to nurses.

ミス39 存在しない単語を使う

校正者の知恵!

● 接頭辞・接尾辞をつける際には辞書で確認すべし

著者のなかには、動詞、名詞、形容詞などを作るつもりで、語根に接頭辞や接尾辞をつけ、一般的ではない語や存在しない語を使ってしまう人がいます。

具体例を見ていきましょう。

> 誤) These structures are highly calcificated even in the smallest sample.
>
> 正) These structures are highly calcified even in the smallest sample.
> （これらの組織は、もっとも小さなサンプルでさえ、かなり石灰化している。）

存在しない単語

–ifyや–icateなどの接尾辞をつけることによって、別の語から動詞を作ることができます。しかしこれは、元々存在する単語でなくてはならず、勝手に作り出してはいけません。上の例では、語根のcalciに誤って接尾辞–icateをつけていますが、正しくはcalcifyです。

> 誤) The unbalance between these systems can lead to ecological damage.
>
> 正) The imbalance between these systems can lead to ecological damage.
> （これらのシステム間の不均衡が、生態環境の破壊を引き起こすかもしれない。）

unbalanceは動詞で使われることが多い

英語では、in–、im–、un–、a–、an–、il–、ir–、non–などの接頭辞をつけると、反意語を作ることができます。どの語にどの接頭辞がつくかは、言語学や語源学上の理論的背景によって決まっています。しかしそのルールは極めて多様で、恣意的とも言えます。正しい形を確認するには、辞書にあたるのが確実です。

誤文では、一般的に動詞として使われることの多いunbalanceが使われています（例 unbalance *someone* 〜を錯乱させる）。標準的な名詞形はimbalanceです。

> 存在しない単語

誤 Because of the unstableness of this complex in aqueous solution, it could not be detected.

正 Because of the instability of this complex in aqueous solution, it could not be detected.
（この複合体は水溶液中で不安定なので、検知できなかった。）

著者は、unstableに接尾辞-nessをつければ名詞になると思ったようです。しかし、正しい名詞形はinstabilityです。

問題にトライ

解答はp.272

カッコ内の適切な語を選んでください。

① The patient was (administered/administrated) ibuprofen 600 mg once daily for a week.

② This experiment confirmed the increase in the (strongness/strength) of the tensile bond at the interface.

③ We conducted a questionnaire survey to determine the (easiness/ease) of using the new system.

ミス40 派生語の意味を誤解している

校正者の知恵！

● 派生元と意味が大きく異なる派生語には要注意

名詞beauty（美しさ）の派生語beautifulは「美しい」という意味で、動詞imagine（想像する）の派生語imaginationは「想像」という意味です。どちらも派生語は派生元の単語と関連する意味を持っています。

しかし、なかには派生元と大きく異なる意味を持つ単語もあり、注意が必要です。

「明らかに」という意味ではない

誤 The subject's response time had apparently increased.

正 The subject's response time had visibly increased.
（被験者の反応時間は明らかに増えていた。）

正 We noticed an apparent increase in the subject's response time.
（我々は、被験者の反応時間の明らかな増加に気づいた。）

形容詞apparentは、「明らかな、はっきりと目に見える」という意味ですが、副詞apparentlyは、「確実ではないが～のようだ」（= seemingly）、または「聞いた［読んだ］情報によると」という意味です（She was apparently not in the room when the quarrel broke out. 口論がはじまったとき、彼女は部屋にいなかったようだ。）。

よって、上の誤文例では、被験者の反応時間が増えたかどうかは定かでなく、この情報は検証されていないことが暗に示されています。

文頭では「まもなく、やがて」という意味で使う

誤 Presently, our research group is investigating the microstructural properties of this alloy.

正 At present, our research group is investigating the microstructural properties of this alloy.
（現在、我々の研究グループは、この合金のミクロ構造特性を調べている。）

正 Our research group is presently investigating the microstructural properties of this alloy.
(我々の研究グループは現在、この合金のミクロ構造特性を調べている。)

誤文では、presentlyの使い方が間違っています。presentlyを文頭で使う場合、以下の例のようにすでに述べた出来事の直後に何かが起きたことを示し、「やがて、まもなく、すぐに」という意味になります。

例 She left the apartment in a great hurry; presently, she returned because she had forgotten her keys.
(彼女はアパートを大急ぎで飛び出したが、鍵を忘れたため、すぐに戻った。)

「現在」という意味を示したいのであれば、at presentを使います。また、上の3つ目のis presently investigatingの例のように、presentlyを文の途中に置けば、currentlyやat presentの同義語として用いることが可能です。

問題にトライ　　　　　　　　　　　　　　　　　　　解答はp.272

次のうち、reportedly（動詞reportの派生形）の使い方がより適切な文はどちらでしょうか。

① From a newspaper clipping: The controversial plan to move the headquarters to a different city was reportedly the chairperson's idea.

② From a journal article: The incidence of asthma in this region has reportedly increased twofold over the past two decades with an increase in fine particulate air pollution.

ミス41 コロケーションがおかしい

校正者の知恵！

● 多くの文章に触れてコロケーションを体得すべし

　コロケーションとは、一緒に使われることが多い語の組み合わせのことで、英語として自然な句を作ります。heavy rain や strong wind がコロケーションの例です。rain や wind という語はいろいろな形容詞で修飾できますが、そのなかでも heavy は rain とともに、strong は wind とともに頻繁に使われます。strong rain や heavy wind とは言いません。これでは不自然に聞こえてしまうのです。

　コロケーションは、ネイティブにとっては自然なものですが、ノンネイティブは、正しく理解するのに苦労するようです。前置詞とのコロケーションが一番の曲者ですが、これについては前置詞の使い方を説明した「ミス12」で紹介しました。

　ここでは、そのほかのタイプのコロケーションに注目します。次の文とその修正例をよく読んでください。

> **誤** Surgeons should maintain extreme caution when performing this procedure. 〔不自然〕
>
> **正** Surgeons should exercise extreme caution when performing this procedure.
> （この手術を行なう際、外科医は格別の注意を払わなければならない。）
>
> **誤** The device was constructed to withstand extreme variations in temperature. 〔不自然〕
>
> **正** The device was designed to withstand extreme variations in temperature.
> （この機器は、極端な温度変化に耐えられるように設計された。）

> 誤 *Tropidechis carinatus* is a seriously venomous snake found in Australia. 【不自然】
>
> 正 *Tropidechis carinatus* is a highly venomous snake found in Australia.
> (*Tropidechis carinatus*（トロピデキス・カリナツス）は、オーストラリアに生息する、猛毒を持つヘビである。)
>
> 誤 Only 40% patients reported entire compliance with prescribed regimen. 【不自然】
>
> 正 Only 40% patients reported full compliance with prescribed regimen.
> (処方されたとおりに服薬していると報告した患者は、4割だけだった。)

　英語ネイティブではない著者にとっては、これらの誤文が文法的にも論理的にも正しいように思えるのでしょう。しかし、こうした語の組み合わせはネイティブの直感に反し、違和感をもたらします。

　コロケーションを習得するには、多くの文章に触れるしかありませんが、次の資料が大いに役立つはずです。

❶ *Oxford Collocations Dictionary*（『オックスフォード 英語コロケーション辞典』小学館）
大量のコロケーションとその用法が掲載されています。

❷ Springer Exemplar（http://www.springerexemplar.com/）
Springerで出版された文献のなかから、調べたい単語や句を含むテキストを検索することができます。文脈に沿った科学用語や技術用語を調べるための、優れたデータベースです。

問題にトライ

解答はp.273

色文字で示した単語と一緒に使うのにもっともふさわしい語を、カッコ内から選んでください。

① The authors (present/propose/suggest) a hypothesis based on their observations.

② We (reported/stated/revealed) our findings in *the Journal of the American Chemical Society*.

③ These limitations (provide/offer/pose) major challenges in the safe disposal of biohazardous waste.

④ This slide (defines/provides/underlines) an overview of the survey that we performed.

ミス42 フォーマルさを意識して不正確な単語を使う

校正者の知恵!

● フォーマルな語に直す際は意味が適切かどうかに注意すべし

多くの著者が、「シンプルな語はすべて科学論文では不適切であり、複雑でフォーマルな響きを持つ語に置き換えるべきだ」と誤解しています。

ほかの類義語よりもフォーマルな響きを持つ語は、問題なく使えることがほとんどですが、正確さが失われてしまう場合もあります。

現象全般を検討する際に使う

避けるべき We investigated the levels of isoflavonoids in soybean at different growth stages.

好ましい We measured the levels of isoflavonoids in soybean at different growth stages.
（我々は、異なる成長段階にあるダイズのイソフラボノイドの値を測定した。）

investigateは、平凡なmeasureにくらべて、複雑で重厚な単語に思えるかもしれません。しかし、単に化合物の値を測定しただけなら、measureを使うのが妥当です。investigateは、現象全般を検討する際に使います。

例
We investigated the possibility of weather being influenced by these changes.
（我々は、天候がこれらの変化の影響を受けている可能性を調査した。）
We investigated the causes of sustained attention deficit in these children.
（我々は、これらの子供たちに継続的に注意欠陥が見られる原因を調べた。）

同様の配慮が必要な語に、evaluate、examineなどがあります。たとえば、We evaluated the concentration of saponins in this plant extract. と言うのではなく、We determined the concentration of saponins in this plant extract. （我々はこの植物エキスに含まれるサポニン類の濃度を調べた。）と言います。evaluateは、We evaluated the effectiveness of drug A on this population. （我々は、この集団にお

ける薬剤Aの効果を評価した。）と使います。別の例を見てみましょう。

> **避けるべき** Our observation is not consistent with the result reported by Smith et al. (2013) because they utilized a different organic semiconductor.
>
> useの意味でutilizeを使っている
>
> **好ましい** Our observation is not consistent with the result reported by Smith et al. (2013) because they used a different organic semiconductor.
> （我々の観察結果は、Smithほか(2013)が報告した結果と一致しない。これは、彼らが異なる有機半導体を使ったためである。）

utilizeには、何かを実用的あるいは有益に使うというかなり限定された意味がありますが、日本人著者は、utilize（活用する）を単なるuse（使う）の意味で使ってしまうことがあります。次の文が、utilizeの正しい使い方です。

例 Natural resources have been poorly utilized for several years because of lack of foresight and planning.
（何の展望も計画もなかったので、天然資源は何年もの間、うまく活用されていなかった。）

> 兆候を見せつけている響きがある
>
> **避けるべき** The patient demonstrated signs of severe muscle weakness.
>
> **好ましい** The patient showed signs of severe muscle weakness.
> （患者には、著しい筋力低下の兆候が見られた。）

この場合、demonstrateのほうが強い印象を与えそうですが、まるで患者がわざわざ兆候を見せつけているような響きがあり、ややこっけいなニュアンスになってしまいます。showはインフォーマルではなく、この文にふさわしい言葉です。

同様の語として、exhibitやrevealがあります。A patient exhibited signs of a condition. とは言わずに、A patient had[showed] signs of a condition.（患者がある症状を示した。）と言います。exhibitやrevealは、本当に未知の発見があったことを示したいときにだけ使うようにしましょう。

ミス43 偏見を含む言葉を使う

校正者の知恵!
- 性別や患者について言及する際の表現に注意すべし

　科学論文では、特定の集団に対する文化的ステレオタイプ（類型化）やバイアス（偏見）を表す言葉を使うことは許されません。

避けるべき　We recruited 89 subjects (44 males, 45 females; mean age 30 ± 3 years) for this study. Each subject was asked to enter his highest academic degree and years of professional experience in a form.

〔male と female を名詞で使っている〕
〔総称の人称代名詞に his を使っている〕

好ましい　We recruited 89 subjects (44 male, 45 female; mean age 30 ± 3 years) for this study. Each subject was asked to enter his/her highest academic degree and years of professional experience in a form.
（我々はこの研究のために被験者89人を集めた（男性44人、女性45人、年齢平均値30±3歳）。各被験者は、最終学歴と職歴（年数）をフォームに記入するよう求められた。）

好ましい　We recruited 89 subjects (44 men, 45 women; mean age 30 ± 3 years) for this study. They were asked to enter their highest academic degree and years of professional experience in a form.
（我々はこの研究のために被験者89人を集めた（男性44人、女性45人、年齢平均値30±3歳）。彼らは、最終学歴と職歴（年数）をフォームに記入するよう求められた。）

　避けるべき例には、2つの問題があります。①maleとfemaleを名詞として使っていることと、②総称の人称代名詞としてhisを使っていることです。
　名詞maleとfemaleはおもに動植物の「オス」「メス」の意味で用いられ、人間の性別をmalesやfemalesで表すと、人としての尊厳を傷つけているとみなされます。そのため、代わりにmen/women、またはboys/girls（若年者の場合）を使います。ある

いは最初の修正例のように、maleとfemaleを形容詞として使います。

　被験者がすべて男性である場合は、eachやeveryの総称代名詞としてhisを使っても構いません。被験者に男性、女性ともに含まれている場合は、his/herを使いますが、洗練されていない印象になるので、2つ目の好ましい例のように、複数形の代名詞を使うことをお勧めします。

> 病名を使って患者を指している

避けるべき Schizophrenics often experience tactile, visual, or auditory hallucinations.

好ましい Patients with schizophrenia often experience tactile, visual, or auditory hallucinations.
（統合失調症の患者はしばしば幻触、幻視、幻聴を経験する。）

好ましい Schizophrenic patients often experience tactile, visual, or auditory hallucinations.
（統合失調症患者はしばしば幻触、幻視、幻聴を経験する。）

　病気や症状を説明する形容詞にはdiabetic（糖尿病の）、schizophrenic（統合失調症の）、paraplegic（対麻痺の）などがありますが、これらをそのまま名詞として用いてその症状を持つ患者を指すことは避けてください。なぜなら、患者本人をその病気という点だけで捉えることになり、これもまた人間性の剥奪とみなされるからです。1つ目の好ましい例のように、患者や個人を尊重しましょう。または2つ目の文のように、名詞ではなく形容詞として使うようにしましょう。

■ 見直し不足によるケアレスミス

ミス44　つづりが不正確

校正者の知恵！

- ワープロソフトのスペルチェック機能を活用すべし

査読者になったつもりで、次のイントロダクションの文章を査読原稿の一節として読んでみてください。

> **誤**　Obesity may associated with serious psychological problems. Most studies on psychological characteristics of pedriatic obesity have focused primarily onan undifferentiated comparison between obese and nonobese children.*

つづりのミスが1か所、単語同士がつながってしまっている部分が1か所、そして、抜けている単語が1つ（正しい例は次ページ）。この原稿を書いた著者に、どんな印象を持つでしょうか。

校正ミスがあるという理由で、すぐさま掲載拒否の判断をするジャーナルはないはずですが、ジャーナル編集者からは厳しい指摘を受けるでしょう。このような明白なミスは、簡単に防げるものだからです。

自分の目で原稿全体を丁寧に見直してミスを発見し、修正するのもよい方法ですが、ワープロソフトのスペルチェック機能を使えば、この作業をより効率よく行なうことができます。この機能は、しっかり覚えて使いこなせるようにしておきましょう。一度覚えてしまえば、その後の時間や手間を省くことができます。

日本人著者に以前からよく見られるのは、LとRのつづりをとり違えるミスです。これは、英語と日本語の発音体系の違いによるものです。

多くの場合、このようなミスはスペルチェック機能で見つかります。しかし、スペルを間違えた単語が、たまたま存在する単語である場合もあります。たとえば、collectをcorrect、allowをarrow、lockをrockと間違っても、スペルチェック機能ではミスとして認識されません。こうしたミスを防ぐには、少なくとも論文で頻繁に使われるLとRを含む単語だけはしっかり覚えておき、自分の目でつづりを確認することです。

正 Obesity may be associated with serious psychological problems. Most studies on psychological characteristics of pediatric obesity have focused primarily on an undifferentiated comparison between obese and nonobese children.*

(肥満は深刻な心理的問題と関連している可能性がある。小児肥満の心理的特徴に関するほとんどの研究では、主として肥満児と非肥満児を未分化段階で比較することに焦点をあててきた。)

Column　スペルチェックのコツ

スペルチェックの機能は、ワープロソフトの種類やバージョンによって異なります。スペルチェック機能を使う際は、以下のポイントを頭に入れておきましょう。

① 自分が使っているソフトでできることとできないことを知る。
② スペルチェック機能の設定を適切な状態にする。(例 Microsoft Wordの場合なら、「すべて大文字の単語は無視する」、「文章校正とスペルチェックを一緒に行なう」など)
③「すべて無視」の機能は慎重に使い、つづりが本当に正しいかよく確認する。
④ ワープロソフトの辞書機能に単語を追加するときは、慎重に行なう。短すぎる略語や、イギリス英語とアメリカ英語でつづりが異なる単語を登録しないようにする。
⑤ 論文を投稿する前に、最低1回はスペルチェックをかける。

注意　スペルチェック機能だけに頼ることは避けましょう。文脈上で間違っている単語は拾ってくれないからです。formやfromなどの単語が正しく使われていることを自分の目で確認しましょう。

---

*次の文献をもとに作成。Veloso et al. (2012). Cross-Sectional Psychosocial Differences between Clinical and Nonclinical Samples of Overweight Adolescents. *Archives of Exercise in Health and Disease*, *3*, 123-131. doi: 10.5628/aehd.v3.i1-2.105

ミス45 イギリス英語とアメリカ英語が混在している

> **校正者の知恵！**
>
> ● 投稿するジャーナルが推奨するスタイルに合わせ、イギリス英語とアメリカ英語のいずれかを一貫して使うべし

多くのジャーナルでは、イギリス英語かアメリカ英語のいずれかを使うよう求めており、両者の混在は認めていません。どちらか一方の使用が推奨されている場合もあります。いずれにせよ、原稿全体のスタイルに一貫性を持たせることが肝心です。

●ジャーナルの推奨スタイルを確認する

論文を書きはじめる前に、投稿予定のジャーナルが推奨しているスタイルを確認しましょう。

●基本的なつづりの違いを確認する

以下のイギリス英語、アメリカ英語のつづりの違いに注意して、いずれか一方のつづりを一貫して用いましょう。つづりに不安がある場合は、イギリス英語であれば*Oxford English Dictionary*、アメリカ英語であれば*Merriam-Webster Dictionary*などで調べましょう。

イギリス英語のつづり	アメリカ英語のつづり
-ise、またはときに-ize 例 organise/organize	-ize 例 organize
-our 例 odour	-or 例 odor
-ae-/-oe- 例 haematin	-e- 例 hematin
-re 例 litre	-er 例 liter

●スタイル上の違いに注意する

以下のように、イギリス英語とアメリカ英語では、引用符、日付、レターの書き出しなどが異なります。これらのスタイルの違いに注意しましょう。

イギリス英語	アメリカ英語
引用符	
● 一重引用符を使う（二重引用符は引用文のなかで使う） ● 引用の一部でない限り、カンマやピリオドは引用符の外側に置く 例 'She said, "I stay five blocks away"'.	● 二重引用符を使う（一重引用符は引用文のなかで使う） ● カンマやピリオドは引用符の内側に置く 例 "She said, 'I stay five blocks away.'"
日付の形式	
●「日／月／年」の順で書く 例 9 July 2012 または 9/7/2012	●「月／日／年」の順で書く 例 July 9, 2012 または 7/9/2012
レターの正式な書き出し	
● 書き出しの挨拶（敬辞）にカンマを使う 例 Dear John,	● 書き出しの挨拶（敬辞）にコロンを使う 例 Dear John:

■ 専門用語のミス

ミス46 誤った専門用語を使う

> 校正者の知恵！
>
> ● 専門用語は念入りにチェックし、うっかりミスを防ぐべし

　自分の専門分野の文献に頻繁に接している著者が、論文で専門用語の使い方を大きく間違うことはほとんどありません。専門用語は文脈に左右されず、英語一般と違って、比較的明快で単純な使い方ができるからです。

　それでも、原稿に専門用語のミスが潜んでいることがあります。査読者は文法の些細なミスよりも、専門用語のミスに厳しいはずです。よくあるミスは次のとおりです。

● 似ている用語と混同する

> 「位置を特定する」という意味はない
>
> 誤　The conductor was localized on the surface of the sample.
>
> 正　The conductor was located on the surface of the sample.
> 　　（伝導体は標本の表面に設置された。）

　localizeは、以下の例のようにある場所への限定や制限を意味する際に使われ、何かの位置を特定することを表す場合には使えません。「(位置を) 特定する、置く」という意味を示す場合は、locateを用います。

> 例　The expression of this protein is localized to the nucleus.
> 　　（このプロテインの発現は、核に限定されている。）

　この種のミスは、「ミス38」で説明したとおり、混乱や記憶違いから起こるものでしょう。

> **caseは人ではない**
>
> 誤 A retrospective review of the hospital charts showed that 25 cases did not respond to the chemotherapy regime used.
>
> **regimeはバイオメディカル用語ではない**
>
> 正 A retrospective review of the hospital charts showed that 25 patients did not respond to the chemotherapy regimen used.
> (遡及的診療録レビューを行なったところ、25人の患者が、用いられた化学療法に反応を示さなかったことがわかった。)

*Stedman's Medical Dictionary*によると、caseは病気の事例（＝症例）であると定義されています。patient（患者）は、病気にかかっていてtreatment（治療）を受けている人のことです。よって、caseがtreatmentに反応しなかったという表現は誤りです。なぜなら、人を症例に置き換えることはできないからです。

ほかによくあるのが、regimeとregimenの混同です。regimenは、治療や投薬の計画を指すときに使います。regimeはバイオメディカルの用語ではなく、政府や行政機関の形態を意味する言葉です（例 a fascist regimeファシスト体制）。

● **不正確な用語を使う**

> **専門性を欠いた表現**
>
> 誤 In this experiment, rats were killed by draining of the blood under ether anesthesia.
>
> 正 In this experiment, rats were killed by exsanguination under ether anesthesia.
> (この実験で、ラットはエーテル麻酔下で瀉血によって安楽死させられた。)

文法的には正しい語句でも、特定の言いまわしが存在する場合は、その言いまわしを使いましょう。

上の例のdraining of the blood（血を抜くこと）は、専門性を欠いているように受けとられます。この手順は、専門的にはexsanguination（瀉血）と表現します。

●口語表現を用いる

会話では、専門用語を省略したり改変したりすることがよくあります。多くの著者は、うっかりこれを論文でもやってしまうようです。

> **［口語表現］**
>
> **誤** Common lab solvents were identified as trace impurities.
>
> **正** Common laboratory solvents were identified as trace impurities.
> （共通の実験用溶剤は、痕跡不純物だとわかった。）

laboratoryやexaminationという単語は、会話ではlabやexamのように省略形で言うのが普通ですが、学術論文で省略形を使うのは適切ではありません。

> **［診断方法ではない］**
>
> **誤** We compared the value of ultrasound and plain X-ray in diagnosing hip fractures.
>
> **正** We compared the value of ultrasonography and plain radiography in diagnosing hip fractures.
> （我々は、股関節骨折の診断における超音波診断と単純X線撮影の有効性を比較した。）

会話では、ultrasoundとX-rayという言葉を診断方法の意味で使いますが、論文にはふさわしくありません。ultrasoundは超音波周波数の音波のことであり、その音波を使った診断方法はultrasonographyです。同様に、X-rayは放射線そのものを指すので、方法について言う場合はradiographyという語を用いなければなりません。

ミス47 統計用語の誤用

校正者の知恵！

- 統計以外のことに言及する際に、統計用語として定着している語句を用いるべからず

統計以外のことに言及する際に、significantやassociation、correlationといった統計用語を安易に使わないよう注意が必要です。場合によっては、誤解を招き、正確さが損なわれることがあります。これはよくあるミスではありませんが、査読者からは否定的なフィードバックが返ってくるはずです。

「有意な」という意味の統計用語

誤 A previous study found a significant sex difference in depression prevalence.

正 A previous study found a noteworthy sex difference in depression prevalence.
（過去の研究で、うつ病の有病率には性別による顕著な差異があることが発見された。）

上のように、統計的有意性について言及しない場合は、significantという語の使用は避けるべきです。significantという単語を使って、「顕著な」や「重要な」という意味を表そうとすると、読者の混乱を招く可能性があります。

そのほか、association（関連）やcorrelation（相関）も統計用語です。この2つを類義語のように入れ替えて使うことはできません。また、一般的な「関係性」という意味で使うこともできません。一般的な「関係性」を表すときは、relationshipを使います。

ミス48 略語が定義されていない

校正者の知恵！
- ジャーナルの方式にしたがって略語を定義すべし

　原稿の校正作業でもっとも大切なスキルは、ATDです。ATDが不十分だと、初出の略語を定義しないなど、現実的に困ったミスが生じることになります。

　「何のことを言っているのか」とお思いでしょうか？　ATDの意味をまだ説明していませんでしたね。ここでは、attention to detail（細部への配慮）という意味で使いました。最初にこの略語を目にしたとき、皆さんはおそらくadvanced technology demonstration（先端技術のデモンストレーション）やachieving the dream（夢の実現）、あるいはこの文脈では意味をなさない別の言葉を連想したのではないでしょうか。

　略語が定義されていないと、とくに学術論文では、大きな混乱を招く恐れがあります。読みやすいという理由で、大量の長い用語が略される傾向があるからです。以下のアブストラクトの例を見てみましょう。

定義されていない略語の使用

避けるべき　We developed a program that included SST for students and CMT for teachers.

好ましい　We developed a program that included social skills training (SST) for students and classroom-management training (CMT) for teachers.
（我々は、生徒向けのソーシャル・スキル・トレーニング（SST）と、教師向けのクラス・マネジメント・トレーニング（CMT）を含むプログラムを開発した。）

　これらの略語は、著者の専門分野ではごく一般的なものであるか、あるいは著者が自分で作り出したものです。著者自身はこの言葉に馴染みきっているので、わからない人がいることに思い至らなかったのかもしれません。ですが、読者の全員が著者と同じ専門分野の人とは限りません。

Column　略語について配慮すべきポイント

① 必ずジャーナルの執筆要項を読み、推奨される方式があるかどうか確認しましょう。
- ジャーナルによっては、ごく一般的で標準的な略語のリストを掲載し、それらについては初出時もスペルアウトは不要と定めています。

  例 HIV、ANOVA

- 文章中に3回以上登場する用語のみを略語にするよう求めている場合もあります。

- タイトルやアブストラクトでは略語を使わないよう規定しているケースもあります。

- DNAなど、ごく一般的で誤解される恐れのない用語は、定義する必要はありません。

② 略語は、論文中の各セクション（タイトル、アブストラクト、本文、各図表の凡例）での初出時に毎回定義しましょう。

③ ワープロソフトの検索機能などを利用して略語を検索し、定義されているかどうか確認しましょう。

ミス49 1度しか使わない語句を略語にする

校正者の知恵!
- 繰り返し登場しない単語をわざわざ略語にする必要はない

　略語の目的は、スムーズに読み進められるようにすることと、長い単語が繰り返し登場する野暮ったい文章になるのを避けることです。したがって、ある用語が文章中で1度しか使われていなければ、それを略語にする必要はありません。次のアブストラクトの例を見てみましょう。

> 1度しか使わないのに略語を示している

誤 Diabetes mellitus (DM) is associated with cognitive decline and impaired performance in cognitive function tests among patients with type 1 and type 2 diabetes. Few reports have assessed the impact of treatment intensity on cognitive function. We conducted a meta-analysis to evaluate if intensive glucose control in diabetes improves cognitive function to a greater extent than standard therapy. We selected 7 studies that included patients with type 1 or type 2 diabetes and used standardized tests to evaluate various cognitive function domains. Standardized mean differences (SMDs) were calculated for each domain. We found that in the case of intensive glucose control, type 1 diabetes patients derive no cognitive benefit, whereas type 2 diabetes patients derive some benefit in the executive domain but showed worse performances in the memory and attention domains, along with a higher incidence of mortality than observed in patients undergoing standard therapy.*

糖尿病（DM）は、1型および2型糖尿病患者における認知機能低下と、認知機能テストでのインペアード・パフォーマンスに関連している。認知機能に対する治療の強度による影響を評価した報告は、ほとんどない。我々はメタ分析を実施し、糖尿病における積極的なグルコースコントロールが、標準治療にくらべて認知機能を大幅に改善させるかどうかを評価した。1型およ

---

*次の文献をもとに作成。Peñaherrera-Oviedo et al. (2015). Does Intensive Glucose Control Prevent Cognitive Decline in Diabetes? A Meta-Analysis. *International Journal of Chronic Diseases, 2015*, Article ID 680104, 8 pages. doi: 10.1155/2015/680104.

> び2型糖尿病患者を対象に7つの研究をとりあげ、標準化されたテストを用いてさまざまな認知機能領域を評価し、各領域の標準化平均差（SMD）を計算した。積極的なグルコースコントロールを行なったケースでは、1型糖尿病患者の認知機能に改善は見られなかった。一方、2型糖尿病患者には実行機能にある程度の改善が見られたものの、記憶力と注意力の領域で悪化が見られ、標準治療を行なう患者とくらべて死亡率が高くなった。

　このアブストラクトでは、DMとSMDは1度しか使われていないので、略語にする必要はありません。これは、アブストラクトでよく見られるミスです。著者は、1度しか使わない言葉であることに気づかないまま、習慣的に略語にしてしまうようです。

ミス50 不要な略語を作る

頻 —
重 —

校正者の知恵！

- 1語の単語をわざわざ略語にする必要はない

　ある用語が原稿中に何度も登場するからといって、必ずしもその用語を略す必要はありません。まずは、その用語をそのまま使うと読みにくいかどうか、ということを考えてください。読みにくくなければ、略す必要はありません。以下の例を見てみましょう。

1単語を示すのに略語を使っている

避けるべき
Bioremediation (BR) is an attractive and useful method of remediation of soils contaminated with petroleum hydrocarbons because it is simple, applicable in large areas, and economical, and it enables effective removal of contaminants. Autochthonous microorganisms cannot degrade these compounds, and contaminated sites have environmental conditions unfavorable for the microorganisms' development. These problems can be overcome by assisted BR. In this study, the assisted BR capacity for the rehabilitation of three natural sub-soils (granite, limestone, and schist) contaminated with benzene was evaluated. Two different types of assisted BR were used: without and with ventilation. The tests were carried out at a controlled temperature of 25 °C in stainless steel columns; soil contaminated with benzene occupied about 40% of the column's volume. The processes were monitored daily in the discontinuous mode. The results showed that BR of the three contaminated soils was achieved using both technologies.＊

　バイオレメディエーション（BR）は、簡単で、広範囲に使え、経済的なので、石油炭化水素で汚染された土壌を浄化する際の魅力的かつ便利な方法であり、汚染物質を効果的に除去できる。土壌固有型微生

＊次の文献をもとに作成。Carvalho et al. (2015). Assisted bioremediation tests on three natural soils contaminated with benzene. *Eurasian Journal of Soil Science, 4* (3), 153-160. doi: 10.18393/ejss.2015.3.153-160.

> 物はこれらの化合物を分解することができないので、汚染された場所は、微生物の発育に好ましくない環境となっている。促進型BRを利用することにより、これらの問題を克服することができる。この研究では、ベンゼンで汚染された3種類の天然の下層土（花崗岩、石灰岩、片岩）を、促進型BRでどれくらい浄化できるかを調査した。今回は、換気なし・換気ありの2種類の促進型BRを用いた。試験は25℃に保たれたステンレス鋼管のなかで実施し、ベンゼンで汚染された土壌が管内容積の約40%を占めるようにした。経過を不連続モードで毎日モニターした。その結果、3種類の汚染土のBRは、換気なし・換気ありのいずれの方法でも達成されたことが示された。

　この文章では、略語BRを使う必要はありません。BRで示されているのは、bioremediationというたった1つの単語だからです。もし本文中により複雑な用語があって、それも略されていたとしたら、それぞれの略語の意味を覚えておくことは読者の負担になります。上の例では、最初から最後までbioremediationをそのままで使っても、読みやすさが損なわれることはありません。

ミス51 必要な情報の欠如

校正者の知恵！

- ほかの人に読んでもらい、思わぬ情報の欠落を防ぐべし

次の文章を読み、情報が漏れなく含まれているかどうか確認してください。

情報が欠落 ❶ Trophoblast cells in the human placenta perform several functions, such as protection.
（ヒト胎盤の栄養膜細胞は、保護などの複数の機能を果たしている。）

情報が欠落 ❷ To the best of our knowledge, the effect of soil nutrient concentration has not been investigated.
（我々の知る限り、土壌養分濃度の影響は調査されていない。）

情報が欠落 ❸ These complexes are colorless and highly stable and can be easily synthesized. Therefore, they are suitable for studying the physical properties.
（これらの複合体は、無色で安定性が高く、合成が容易である。したがって、物理的特性の調査に適している。）

情報が欠落 ❹ Blood pressure has been found to be associated with poor cognitive performance.
（血圧は認知パフォーマンスの低さと関連することがわかっている。）

注意深く、鋭い人なら、それぞれ以下のような疑問が浮かぶはずです。

❶ ヒト胎盤の栄養膜細胞は、どのようなファクターに対して何を保護するのか？
❷ 土壌養分濃度の何に関する影響が調査されていないのか？
❸ 述べられている複合体を使うと、何の物理的特性が調べられるのか？
❹ 高血圧と低血圧のどちらが認知パフォーマンスの低さと関連するのか？

これは、前後の文脈がなくても読者は情報を推測できるだろう、と思い込んでいるために発生するミスです。文を文法的に完結させるだけでなく、そのなかで提供する情報にも不足がないようにしなければなりません。読者の頭のなかに、少しの疑問も残さないようにしましょう。

このミスも、著者が読者のための情報を意識できなかったことが原因で起こります。著者は自分の書いている内容をよく知っているので、情報が自明であるように感じてしまうのです。

あなたの論文を読んだことのない同僚に、論文を読んでもらいましょう。あなたの研究について知らない人なら、問題点に気づきやすく、情報が足りない箇所を見つけやすいはずです。前ページの例文を修正すると、以下のようになります。

好ましい ❶ Trophoblast cells in the human placenta perform several functions, such as protection of fetal tissue against harmful chemicals.
（ヒト胎盤の栄養膜細胞は、有害な化学物質から胎児組織を保護するなどの複数の機能を果たしている。）

好ましい ❷ To the best of our knowledge, the effect of soil nutrient concentration on interactions between soil microbiota has not been investigated.
（我々の知る限り、土壌微生物間の相互作用に対する土壌養分濃度の影響は調査されていない。）

好ましい ❸ These complexes are colorless and highly stable and can be easily synthesized. Therefore, they are suitable for studying the physical properties of Grade Z materials.
（これらの複合体は、無色で安定性が高く、合成が容易である。したがって、Zグレード材の物理的特性の調査に適している。）

好ましい ❹ Blood pressure higher than 150 mm Hg has been found to be associated with poor cognitive performance.
（150 mm Hgを超える血圧は、認知パフォーマンスの低さと関連することがわかっている。）

■ 科学表現のミス

ミス52 スペルアウトすべき数字がアラビア数字になっている

校正者の知恵!

- 文頭、タイトル、見出しの数字はスペルアウトすべし

推奨される数字の表記方法は、ジャーナルやスタイルガイドによって異なります。9以下の数字は、単位を伴わない限りスペルアウトすることが望ましいとされることがあります。

例 単位なし:nine subjects、単位あり:9 cm

一方で、9以下の数字でも、慣用表現でなければアラビア数字で表記することが望ましいとされる場合もあります。

例 非慣用表現:4 subjects、慣用表現:on the one hand

どちらのスタイルにせよ、文頭、タイトル、見出しの数字はスペルアウトする、というのが標準的なルールです。

文頭の数字はスペルアウトすべき

誤 14 patients were referred to other hospitals immediately after the diagnosis of advanced non-small-cell lung cancer.

正 Fourteen patients were referred to other hospitals immediately after the diagnosis of advanced non-small-cell lung cancer.
(進行型非小細胞肺がんという診断が下された後、14人の患者はただちに他院を紹介された。)

正 We referred 14 patients to other hospitals immediately after the diagnosis of advanced non-small-cell lung cancer.
(進行型非小細胞肺がんという診断を下した後、我々はただちに14人の患者たちに他院を紹介した。)

2つ目の正文のように、数字が文頭にこないように文を書き換えてもよいでしょう。

文頭、タイトル、見出しの数字をスペルアウトするというルールの例外は、数字が化学名の一部である場合です。このような場合、数字はスペルアウトせず、化学名のつづりの最初の文字を大文字にします。

> 化学名のつづりの最初は大文字にする

誤 3-methylglutaryl coenzyme A is the immediate precursor of 3-hydroxy-3-methylglutaryl coenzyme A.

正 3-Methylglutaryl coenzyme A is the immediate precursor of 3-hydroxy-3-methylglutaryl coenzyme A.
(3-メチルグルタリル補酵素Aは、3-ヒドロキシ-3-メチルグルタリル補酵素Aの直接前駆体である。)

ただし、ジャーナルがどのスタイルを採用していたとしても、文中で数字を列挙する場合は、(桁数にかかわらず) 統一性を持たせるためにアラビア数字で表記することが望ましいでしょう。

例 The mean ages of the subjects in groups A, B, C, and D were 8, 16, 12, and 15.
(グループA、B、C、Dの被験者の平均年齢は8歳、16歳、12歳、15歳だった。)

ミス53 数字と単位の間にスペースがない

頻 / 重

校正者の知恵！

● 数字と単位の間はスペースを空けるべし

数字と単位の間には、スペースを1つ空ける必要があります。ほとんどの査読者は、スペースがないという些末な点にはコメントしないでしょう。しかしこれは容易に修正できることであり、スペースを空けることで、全体の見ばえもよくなります。

> 数字と単位の間にスペースがない
>
> **誤** First, 10mL of the sample was added to the reaction mixture.
>
> **正** First, 10 mL of the sample was added to the reaction mixture.
> （最初に、10 mLのサンプルが反応液に加えられた。）

このルールの例外として、規定度を表す単位Nを覚えておいてください。この単位は数字にそのまま続けてタイプし、同じくNで表す単位newtonと区別します。

温度を表す℃については、数字との間にスペースを空けるべきだという人もいれば、スペースは不要だという人もおり、専門家の間でも意見がわかれているので、ジャーナルの指定するスタイルを確認しましょう。

なお、パーセント（％）、度（°）、プライム（′）は単位記号ではないので、前の数字との間にスペースは空けません。

例 20% increase（20％の上昇）、an angle of 5°（5度の角度）、5′-end（5′末端）

ミス54 不合理な単位を使う

校正者の知恵！

- 使用する単位が伝えたい内容とあっているかどうかを確認すべし

[長さを表すにはふさわしくない]

誤 The area of the sheet used was 9×6 mm^2.

正 The dimensions of the sheet used were 9×6 mm.
（使われたシートの寸法は9×6 mmだった。）

正 The area of the sheet used was 54 mm^2.
（使われたシートの面積は54 mm^{2}だった。）

　上の誤文は、シートの寸法を書こうとして、合計面積を書く際の主語と単位を使ってしまっている例です。areaは「面積」という意味で、mm^{2}は面積を表す単位ですから、長さを示すには不適切ですね。著者は面のそれぞれの辺の長さを伝えたいのですから、mm^{2}ではなくmmを使います。また、「寸法」はdimensionsです。

[数字の直後に負の指数の単位はこない]

誤 The dosage used was 10 mL^{-1}·kg^{-1}·min^{-1}.

正 The dosage used was 10 mL·kg^{-1}·min^{-1}.
（投与量は10 mL·kg^{-1}·min^{-1}だった。）

　除算で求められる単位を表す場合は、負の指数を使います。誤文でkgとminに負の指数をつけることは問題ありません。誤文の単位は数字も含め、"10 per milliliter per kilogram per minute"と読み、正文は、"10 milliliter per kilogram per minute"と読みます。スラッシュを用いて表すとそれぞれ10/mL/kg/minと10 mL/kg/minとなるので、前者は単位としておかしいことがすぐにわかるでしょう。数字の直後にくる単位に、負の指数をつけてはいけません。このミスはほとんどの場合、単位の表記方法についての理解不足ではなく、ケアレスミスから起こります。

ミス55 単位をスペルアウトするルールにしたがっていない

校正者の知恵！

- 単位は文頭の数字に続く場合と単独で用いる場合にのみスペルアウトすべし

単位をスペルアウトする必要があるのは、文頭の数字の後に単位が続く場合と、数字を伴わずに単位を単独で使う場合のみです。以下の例文で、このルールを覚えましょう。

文頭の数字の後に続く単位はスペルアウトする

誤 Nine N-m of internal tibial torque was applied.

正 Nine newton-meters of internal tibial torque was applied.
（9 Nmの脛骨内旋トルクを加えた。）

よりよい We applied 9 N-m of internal tibial torque.
（我々は9 Nmの脛骨内旋トルクを加えた。）

最初の文は不自然で、なおかつ混乱を招きます。2つ目の文は正確でわかりやすくなっていますが、数字と単位が文中にくるように書き直した3つ目の文がベストです。

単位単独で使う場合はスペルアウトする

誤 The velocity was measured in m/s.

正 The velocity was measured in meters per second.
（速度をメートル毎秒で求めた。）

上の例では、数値を述べず単位にだけ触れています。このような場合に略語を使うのは間違いです。

ミス56 主語と動詞の呼応がおかしい（主語が単位の場合）

校正者の知恵！

- 主語となる単位が複数形でも、対応する動詞は単数形にすべし

主語と動詞の呼応のルール（ミス15）の例外として、単位は単数として扱う、というものがあります。ある単位が複数のものを表していたとしても、複数扱いではなく単数扱いにします。

> 単位は複数でも動詞は単数形にする

誤 In this experiment, 2 mg of the extract were dissolved in 20 mL of water.

正 In this experiment, 2 mg of the extract was dissolved in 20 mL of water.
（この実験では、20 mLの水に2 mgの抽出物を溶かした。）

上の場合、2 mg をスペルアウトすると two milligrams と複数形になりますが、単数動詞の was を使うのが正しい形です。

問題にトライ　　　　　解答はp.273

次の文のうち、下線部の動詞が間違っているのはどれですか。

① Paper sheets of 3 mm^2 were used for this step.

② The pressure applied was 4.3 GPa.

③ Finally, 2 mg of cellulose powder were added.

■ 論理のミス

ミス57 論理が破綻している

校正者の知恵!

● うっかり非論理的な文を書いていないか見直す時間をとるべし

「原稿を提出したところ、ジャーナル査読者から英語についての否定的なフィードバックが返ってきた」という著者からの校正依頼をよく受けます。査読者から「英語が不自然」と言われた場合、その指摘は必ずしも文法上のミスに対するものではなく、むしろ多くは論理の欠如に対するものです。

たとえば、carbon monoxide poisoning in patients with a history of long-term charcoal burning という句を見たら、炭焼きの経験がある患者について述べていると思いませんか。しかし、炭焼きが即、中毒の原因になるでしょうか。しかも、焼くという行為が「長期間」続くでしょうか。

著者が言いたかったのは、carbon monoxide poisoning in patients with a history of long-term exposure to charcoal smoke（炭の煙に長期間にわたって曝された経験のある患者の一酸化炭素中毒）です。これなら筋がとおっています。

ここでは、このような論理に関係するミスに敏感になり、論文をより厳しい目でチェックする方法を学びましょう。

主語が correlation で動詞が correlate になっている

誤 The correlation coefficient between tree height and latitude was negatively correlated.

正 Tree height and latitude were negatively correlated.
（木の高さと緯度には負の相関があった。）

正 The correlation coefficient between tree height and latitude was negative.
（木の高さと緯度の相関係数はマイナスだった。）

正 A negative correlation between tree height and latitude was observed.
（木の高さと緯度には負の相関が確認された。）

相関係数そのものが、どうやって負の相関を示すのでしょうか。このミスは、著者がある構文を思い浮かべながら書きはじめ、その後で無意識に別の構文に変えてしまったことで起こったと思われます。

> 種に情報がないことになる

誤 The morphological features of these two information-lacking species were studied in detail.

正 The morphological features of these two little known species were studied in detail.
（ほとんど知られていないこの2つの種の形態的特徴について詳細に調べた。）

information-lacking speciesと言うと、種それ自身が情報を持っていなかったとか、種が何も知らなかったという印象を与えます。これはおかしいですね。著者が伝えたかったのは、その種があまり知られていないこと、あるいはその種に関する情報が限られていることです。

おそらく著者は、名詞の前に複合形容詞を置くことで語数を減らそうとしたのかもしれませんが、焦ってしまい意味にまで考えが及ばなかったのでしょう。

> 判断されるのは検査そのものではない

誤 The ultrasonographic and radiological examinations of the patients were not remarkable.

正 The results of the ultrasonographic and radiological examinations of the patients were not remarkable.
（それらの患者の超音波検査と放射線検査の結果に、注目すべき点はなかった。）

これは、バイオメディカル系の論文によくあるミスです。判断を下されるのは検査結果であり、検査自体が異常であったり正常であったりすることはありません。

検査結果を表す際によく使われる次のような形容詞を使う際にも、検査そのものが主語として使われるミスが発生します。

例 normal（正常な）、negative（陰性の）、positive（陽性の）、false-negative（偽陰性の）、false-positive（偽陽性の）

> コルチゾールそのものは増えない

誤 The salivary cortisol increases in response to stress stimuli.

正 The salivary cortisol level increases in response to stress stimuli.
（唾液のコルチゾール値は、ストレス刺激に反応して上昇する。）

　コルチゾールは生体分子ですが、生体分子それ自体は増加しません。その濃度や値が高くなるのです。これもまた、バイオメディカル系の論文によくあるミスです。日常会話でhemoglobin increased（ヘモグロビンが増加した）と言う分には問題ありませんが、論文では、非論理的で非科学的とみなされてしまうと肝に銘じておきましょう。

　関連するミスとして、生化学値をthe hemoglobin was 12.3 g/dLのように記述してしまうケースがあります。この場合は、hemoglobinの後ろに、level（値）やconcentration（濃度）を加える必要があります。

誤 The troposphere, stratosphere, mesosphere, thermosphere, and exosphere are the main components of the layers of the Earth's atmosphere.

> 大気の構成ではなく各層の構成要素を意味する

正 The troposphere, stratosphere, mesosphere, thermosphere, and exosphere are the main layers of the Earth's atmosphere.
（対流圏、成層圏、中間圏、熱圏、外気圏が、地球の大気の主要な層である。）

　この場合、著者は大気を構成するさまざまな層について考えていたようですが、書き進むうちに、うっかりcomponents of the layersという句を使ってしまったようです。これでは、「各層が何からできているか」について述べていることになってしまいます。

> ウイルスそのものは感染ではない

誤 We could not determine whether herpesvirus was the primary infection.

正 We could not determine whether herpesvirus was the primary cause of infection.
（ヘルペスウイルスが感染の主原因かどうかは判定できなかった。）

感染とはプロセスのことなので、ウイルス自体がおもな感染とはなりえません。ウイルスは、感染を引き起こす媒介物ですね。

ここまでの例からわかるとおり、これらのミスは、文法についての知識不足ではなく、思考の不備から起こっています。こうしたミスに気づけるように、まずは執筆の手を一度止めましょう。執筆を再開したら、焦って読んではいけません。1文ずつ、集中して注意深く読み、理屈が合っているかどうかをチェックしましょう。

ミス58 転換語の使い方を誤って覚えている

校正者の知恵！

● 使い方を誤りやすい転換語に注意すべし

in addition、as a result、for example といった転換語と呼ばれる語句は、読み手の意識を次の思考や事実に導く際に便利なツールです。正しく使うことで、文や段落のつながりがスムーズになります。

しかし一歩使い方を間違えると、読み手に混乱、誤解、不快感を与えかねません。ちょうど、誤った標識が旅行者を惑わせるようなものです。

まず、転換語のよくあるミスを見てみましょう。

● as a result（その結果として）

> **誤** We performed a survey to identify the causes of poor school attendance in this region. As a result, the long distances between the homes of students and the schools and poor transport facilities were more to blame than any other factor.
>
> （as a result は前文の内容を受けた結果を示す）
>
> **正** We performed a survey to identify the causes of poor school attendance in this region. Our results showed that the long distances between the homes of students and the schools and poor transport facilities were more to blame than any other factor.
>
> （我々は、この地域における学校への低出席率の原因を特定するための調査を実施した。調査の結果、生徒の自宅と学校の距離が遠いことと、交通機関の未整備がおもな要因であることがわかった。）

誤った文章では、「長距離などが原因で出席率が低いのは、調査が実施されたためだ」という意味になってしまいます。このように、実験結果を紹介する際に as a result を誤って使ってしまうのは、日本人著者がよくおかすミスです。この句は、すでに述べた行為の直接的な結果を述べるときに用いるのが正しい使い方です。

先の例のように、まず調査内容を述べて、次にその結果について言及する場合は、2つ目の文章のように書くのが適切です。

以下の文章で、as a resultの正しい使い方をチェックしておきましょう。

> **例**
> In this region, the distances between the homes of students and their schools are long, and the transport facilities are poor. As a result, many children have poor school attendance.
> （この地域では、生徒の自宅と学校の距離が遠く、また交通機関が未整備である。その結果として、子供たちの学校への出席率が低くなっている。）

●on the contrary（それどころか）

> on the contraryは「それどころか」という意味

誤 In the control group, there were wide fluctuations in pH. On the contrary, in the test group, the pH was constant.

正 In the control group, there were wide fluctuations in pH. In contrast, in the test group, the pH was constant.
（対照群では、pHの大幅な変動が見られた。対照的に、実験群でのpHは一定であった。）

on the contraryは、直前の記述を否定したり論駁したりするときに使います。研究論文でこの転換語を使う必要はほとんどありません。著者は、比較を表すin contrast（対照的に）と混同してしまうようです。この2つのフレーズは意味が違うので、代替表現として使うことはできません。

in contrastは、研究論文で、ある実験結果を別の結果と比較するときや、新しい研究結果を過去の結果と比較するときに使います。

●転換語の多用

ほかによくあるミスが、転換語の使いすぎです。その例を次の文章で紹介します。

> 誤　In this study, we investigated the effect of 15-hydroxy-eicosatetraenoic acid (15-HETE) on potassium channels in hypertensive rats. Our findings were as follows: 15-HETE induced constriction of the internal carotid artery. Furthermore, this effect was concentration-dependent. Moreover, it is induced through the inhibition of the Kv channels.
>
> 転換語を使いすぎ
>
> 正　In this study, we investigated the effect of 15-hydroxy-eicosatetraenoic acid (15-HETE) on potassium channels in hypertensive rats. We found that 15-HETE induced constriction of the internal carotid artery in a concentration-dependent manner through the inhibition of the Kv channels.
> (我々はこの研究で、高血圧のラットのカリウムチャネルにおける15-ヒドロキシエイコサテトラエン酸（15-HETE）の効果を調べた。15-HETEは、電位依存性カリウム（Kv）チャネルの抑制を通じて、濃度依存的な方法で内頸動脈の収縮を引き起こすことがわかった。)

　著者は、「思考の流れを止めないためには、文と文を接続詞でつなげなければならない」と思ってしまうことがあるようです。しかし、とくに転換語を必要としない文頭に転換語を置き、それがいくつも続くと、文章が読みにくくなります。また、上記の例のように、無理に転換させているかのようで、わざとらしい印象が生まれます。

　転換語は文と文をつなげるためのとても便利なツールですが、転換語を使わなくても、文を自然につなげることは可能です。本文が論理的に書けていれば、転換語がなくても、文章に自然な流れが生まれるでしょう。

■句読法とキャピタライゼーションのミス

　カンマ、コロン、セミコロン、ピリオドといった句読点は、文の意味を明確にする上で重要な働きをしますが、地味であるがゆえに、その働きは見すごされがちです。その結果、句読点の漏れや誤使用で文意が曖昧になったり、いい加減な印象を与えてしまうことがあります。

　句読点の誤った使い方から起こる問題をいくつか紹介しましょう。

ミス59　カンマ・スプライス

校正者の知恵！
● カンマだけで2つの節を区切っていないか注意すべし

　カンマは、文中の小休止を示すだけではありません。意味を明確にし、要素を区別する役割もあります。ただ、2つの独立した節を分けることはできません。

　2つの独立した節の区切りにカンマしか使っていないと、カンマ・スプライスというミスになります。節の区切る際に使えるのは、セミコロンかピリオドです。2つの節の区切りでカンマを使用できるのは、その後に適切な接続詞が続く場合だけです。

誤 No receptor has been previously identified for homoserine lactone in mammalian cells, our results suggest that homoserine lactone may bind to and 〔カンマ・スプライス〕 activate a G-protein–coupled receptor.

正 No receptor has been previously identified for homoserine lactone in mammalian cells, and our results suggest that homoserine lactone may bind to and activate a G-protein–coupled receptor.
（哺乳類細胞のホモセリンラクトンにはこれまで受容体が確認されていなかったが、今回の結果は、ホモセリンラクトンがGタンパク質結合受容体と結びついてそれを活性化する可能性を示している。）

正 No receptor has been previously identified for homoserine lactone in mammalian cells; our results suggest that homoserine lactone may bind to and activate a G-protein–coupled receptor.〔訳は前の例文と同じ〕

> 正 No receptor has been previously identified for homoserine lactone in mammalian cells. Our results suggest that homoserine lactone may bind to and activate a G-protein–coupled receptor.
> （哺乳類細胞のホモセリンラクトンにはこれまで受容体が確認されていなかった。今回の結果は、ホモセリンラクトンがGタンパク質結合受容体と結びついてそれを活性化する可能性を示している。）

　これらの文章は、独立した2つの節から成っています。no receptor has been identified for homoserine lactone in mammalian cells と our results suggest that homoserine lactone may bind to and activate a G-protein–coupled receptor の2つの節です。したがって、この2つの節をカンマでつなぐのは間違いです。

　誤文では、2つの節の間にカンマしかないので、読者は戸惑うかもしれません。文の最後まで読んで初めて、カンマ以降は独立した別の節だとわかるからです。

　1つ目の修正文では、文をつなぐために接続詞 and を加えています。ほかの2つの修正例では、セミコロンとピリオドを使っています。

> 誤 We did not limit the time of evaluation, however, we instructed participants to answer spontaneously. （however は接続詞ではない）

> 正 We did not limit the time of evaluation; however, we instructed participants to answer spontaneously.
> （判断する時間に制限は設けなかったが、あまり考え込まずに回答するよう参加者に指示した。）

　この場合、We did not limit the time of evaluation と however, we instructed participants to answer spontaneously は、それぞれ独立した別の節です。however は接続詞ではなく副詞ですから、カンマをセミコロンにしなければなりません。

　カンマで区切られた前後が独立した節であるかどうかは、どうすればわかるでしょうか。カンマの前と後の部分を別々に読んでみてください。各部分は、それだけで文として成立しますか。成立するならば、カンマ・スプライスです。

ミス60 混乱や誤読を招くカンマの欠如

校正者の知恵！

- カンマを入れることで読みやすい文を書くべし

　ここまで見てきたように、カンマの役割の1つは、andなどの接続詞でつながれる独立した節同士を分けることです。短く明瞭な節なら、カンマは不要です。しかし、節の長さにかかわらず、カンマがなければ意味がわかりづらくなるケースがあります。以下の例で詳しく説明しましょう。

> どこで節が区切れるのかわからない

誤 This type of packing reduces fruit pitting and storage under low temperature and high relative humidity conditions reduces rind injury.

正 This type of packing reduces fruit pitting, and storage under low temperature and high relative humidity conditions reduces rind injury.
（この梱包方法によって果実がへこみにくくなり、また低温高相対湿度状態での保存によって外皮が傷つきにくくなる。）

　誤文を読むと、梱包によって果物のへこみと保存期間が減る、ということをまず思い浮かべてしまいます。ところが読み直すと、実際は1つ目のandの前後が別の節であることに気づき、本来の意図がわかります。最初の節は梱包について述べており、次の節はある条件下での保存について述べているのです。

　この問題は、andの前にカンマを加えるだけで避けることができます。別の節が続くという目印の役割をカンマが果たすからです。

> どこで節が区切れるのかわからない

誤 The tissue was digested with collagenase and genomic DNA was isolated using the DNeasy Tissue Kit.

正 The tissue was digested with collagenase, and genomic DNA was isolated using the DNeasy Tissue Kit.

> （組織はコラゲナーゼで分解し、またゲノム DNA は DNeasy 組織キットで分離した。）

　上の例では、カンマがなければ、読者は「コラゲナーゼとゲノム DNA で組織を分解する」と読んでしまうかもしれません。カンマは、「その後に別の節が続くので、ここで一度休止せよ」という合図です。

どこで節が区切れるのかわからない

誤 If the drugs for treating this condition have a positive effect on hemoglobin levels they may be of more value to patients.

正 If the drugs for treating this condition have a positive effect on hemoglobin levels, they may be of more value to patients.
（この症状を治療する薬がヘモグロビン値によい影響をもたらすとすれば、患者にとってより有効な薬となる可能性がある。）

　この例では、if 〜ではじまる従属節がやや長めです。カンマを打つことで、どこで if 節が終わるのかがはっきりして読みやすくなります。

どこで節が区切れるのかわからない

誤 The cadmium concentration was adjusted to 10 µg/mL with the final volume reaching 100 mL.

正 The cadmium concentration was adjusted to 10 µg/mL, with the final volume reaching 100 mL.
（カドミウム濃度は 10 µg/mL に調整され、最終的な容量は 100 mL となった。）

　誤文の cadmium concentration was adjusted to 10 µg/mL with という部分を読むと、何かを使って濃度を調節することが述べられている、と一瞬誤解しそうです。
　文を最後まで読むと、with the final volume 〜は、「最終的な容量」に関する情報の書き出しだとわかります。この場合も、カンマを入れることで誤解を避けることが可能です。

ミス61 カンマの使いすぎ

校正者の知恵！

● カンマが多い場合、文構造を変えて読みやすくするべし

カンマに関するミスのなかでは比較的少ないものの、カンマの使いすぎというケースもあります。カンマの欠如が読者の誤解を招くのに対し、過剰なカンマは読者を苛立たせます。使いすぎは、信号機だらけの道路を走るようなものです。

具体例を確認してみましょう。

避けるべき　The final rating was an average of the scores on the D15 test set, for estimating the student's reasoning ability; on the B10 test set, for estimating language and communication skills; and on the SG18 test set, for estimating arithmetic skills.

　　　　　　　　　　カンマが多すぎる

好ましい　The final rating was an average of the scores on the D15 test set for estimating the student's reasoning ability, on the B10 test set for estimating language and communication skills, and on the SG18 test set for estimating arithmetic skills.
（最終判定値は、生徒の論理的能力を測定するD15テストと、言語・コミュニケーション能力を測定するB10テストと、計算能力を測定するSG18テストの結果の平均値だった。）

上の例では、3つの尺度をその用途とともに挙げています。それぞれの尺度の用途をforに続けて説明していますが、これら3つのすべてのforの前に不要なカンマが打たれています。そのため、3つの尺度の区別にはセミコロンを使わざるを得なくなっています。

もとの文は、文法的には問題なさそうですが、読む際に小刻みにブレーキをかけられているようでうんざりさせられます。修正後の文のほうが、ずっと読みやすいですね。

カンマの使いすぎは、使い方のミスというより、文構造や文体の問題である場合が多いようです。

> どの文にも導入語句がある

避けるべき　At present, about 50% of all the waste generated is industrial waste. Further, waste sludge accounts for the largest proportion of all the industrial waste by volume. In recent years, the generation of industrial waste has increased. On the other hand, landfill capacity has decreased. Therefore, several studies are being conducted to identify alternative methods for waste disposal.

好ましい　About 50% of all the waste currently generated is industrial waste, with waste sludge accounting for the largest proportion by volume. In recent years, the generation of industrial waste has increased, while landfill capacity has decreased. Several studies are therefore being conducted to identify alternative methods for waste disposal.
（現在発生している廃棄物のおよそ50％が産業廃棄物であり、その体積の大部分を余剰汚泥が占めている。近年、産業廃棄物の発生は増加しているが、その一方で、埋めたて処分の許容量は減少している。そのため、別の廃棄物処理方法を見つけるための複数の研究が行なわれている。）

　避けるべき文章の問題は、カンマが多すぎて、本文がどことなくぶつ切りの印象になっていることです。しかし根本的な原因は、本当にカンマが多すぎることでしょうか。じつは、カンマの使い方は間違っていません。at present、further、in recent years、on the other handといった語句の後ろにはカンマを打つ必要があるからです。

　問題は、連続する5つの文すべてが導入句ではじまっていることです。これは、カンマをとり除いても解決しません。カンマがあろうとなかろうと、読者はそれぞれの導入句の後で、自然とひと呼吸置いてしまうからです。

　解決策は、いくつかの文の構成を変え、一本調子で途切れ途切れの印象を払拭することです。

ミス62 混乱や誤読を招くハイフンの欠如

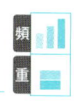

校正者の知恵！

- 文意を明確にするため、2つ以上の単語を複合形容詞として使う場合はハイフンを使うべし

ハイフンのもっとも重要な機能は、複数の単語をつなげて、1つの単語として読ませることです。定型化したハイフンは、father-in-lawのように、つづりの一部になっています。こうした定型表現は、辞書にも載っています。

ハイフンは、名詞の直前に置かれて形容詞の働きをする2つ以上の単語をつなぎ合わせる場合にも使います。混乱を防ぐために欠かせないのがハイフンです。

たとえば「車を製造する小さな工場」ではなく「小さな車を製造する工場」と言いたい場合、small car factoryではなく、small-car factoryのように、ハイフンでつなぐ必要があります。この場合のsmall-carは、factoryに対する複合形容詞として機能しています。

small-carは形容詞＋名詞ですが、複合形容詞にはさまざまなパターンがあります。

例
a cold-blooded animal（冷血動物）　形容詞＋過去分詞
a decision-making process（意志決定プロセス）　名詞＋現在分詞
a world-famous scientist（世界的に有名な科学者）　名詞＋形容詞

このほかにも、さまざまな品詞が組み合わさって名詞を修飾します。

> ハイフンがない

誤 From among these soybean fermenting microorganisms, the last two were selected since they did not produce any undesired byproduct.

正 From among these soybean-fermenting microorganisms, the last two were selected since they did not produce any undesired byproduct.
（ダイズを発酵させるこれらの微生物のなかから、不要な副産物を生成しなかった最後の2つを選んだ。）

この文では、microorganismsが複合形容詞soybean-fermentingで修飾されています。

> 誤 Human ancestors evolved a specialized visual system to detect threat relevant stimuli.
>
> ハイフンがない
>
> 正 Human ancestors evolved a specialized visual system to detect threat-relevant stimuli.
> （ヒトの祖先は、脅威に関わる刺激を検出する特殊な視覚システムを発達させた。）

上の例では、ハイフンがないと、これは脅威を検出するシステムについての話である、と一瞬思ってしまいそうです。ところが文を最後まで読むと、「脅威に関する刺激」についての話であることがわかります。

ハイフンがなくても、意図された内容が伝わるケースもあるでしょう。しかし、ハイフンを加えることで文意が明確になり、疑問を挟む余地がなくなります。

以下に、ハイフンが必要な複合形容詞の例をさらに挙げます。

例
① We describe the radiologic appearances of small-bowel ulcers.
（小腸の潰瘍の放射線画像について説明する。）

② Time-resolved two-dimensional X-ray images illustrate the spherical symmetry of the imploded core plasma.
（時間分解した2次元のX線画像で、爆縮コアプラズマの球対称性を図解する。）

③ Seventeen strains of coagulase-positive microorganisms were recovered from foods.
（17種のコアグラーゼ陽性微生物が食物から回収された。）

④ We present the case of a 49-year-old asymptomatic woman with a non-palpable mass in her neck.
（首に触知不可能なしこりのある49歳の無症候性の女性の症例を紹介する。）

⑤ The mixture was then poured into a 20-mL beaker.
（続いて20 mLのビーカーに混合液を注いだ。）

> **Column** ハイフンが必要なその他のケース

① 分数を形容詞として使うとき

> 例 one-third share in the property
> （資産の3分の1の持ち分）

② 21から99までの数字をスペルアウトするとき（thirty、fortyなど、1単語の数字は除く）

> 例 forty-two subjects
> （42人の被験者）
> two hundred and thirty-two pens
> （232本のペン）

③ 接頭辞と語根をつなげて形容詞を作るとき（前ページのnon-palpableもこの例です）

> 例 pre-Columbian history
> （コロンブス以前の歴史）
> semi-antique sofa
> （アンティーク風のソファ）

接頭辞を伴う複合語は、時代を経て、ハイフンでつながれた形から、一体化した形に変化することがよくあります（例 antibacterial、extracurricular）。現在の用法は、辞書で確認しましょう。

ミス63 不必要にハイフンを使う

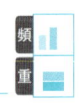

校正者の知恵！
- ハイフンを使うことで意図しない意味になっていないか確認すべし

ハイフンが不要なケースを知ることも、ハイフンが必要なケースを知るのと同じくらい重要です。間違ったハイフンは文の意味を変えてしまい、余計なハイフンは読者を混乱させてしまいます。

> ハイフンがあるとおかしな意味になる

誤 This paper describes a drug-targeting tumor protein p53.

正 This paper describes a drug targeting tumor protein p53.
（この論文は、腫瘍タンパク質p53を標的とする薬について述べている。）

誤文のa drug-targeting tumor protein p53という句では、「腫瘍タンパク質p53が薬を標的としている」と読めてしまいます。しかし、これでは意図した内容を表せていないばかりか、おかしな表現になってしまっています。「何かが薬を標的としている」のではなく、逆に、「薬が腫瘍タンパク質p53を標的としている」からです。

正しい文では、混乱の原因となっていたハイフンがとり除かれています。これで、a drug targeting tumor protein p53は、「腫瘍タンパク質p53を標的とする薬」という意味になりました。

> ハイフンは不要

誤 Some believed that effective capital-management was a fundamental factor for successful self-governance.

正 Some believed that effective capital management was a fundamental factor for successful self-governance.
（効果的な資産管理は、適切な自己管理に欠かせない要素であると考える人もいた。）

capital managementは、名詞の前に置かれた複合形容詞として機能しているわけ

ではありません。そのため、ここでハイフンを使うのは間違いで、混乱を招く恐れもあります。ハイフンをつけたもう1つの単語、self-governanceは、形容詞ではなく名詞ですが、接頭辞のselfがあるので、ハイフンをつけるのが正しい形です。

> heavy metalは一般的な複合語

避けるべき We describe a novel method for removing heavy-metal ions from wastewater.

好ましい We describe a novel method for removing heavy metal ions from wastewater.
（汚水から重金属イオンを除去する新たな方法について述べる。）

　複合語のなかには、ごく一般的に使われていて、誤解の余地のないものがあります。そのような場合は、ハイフンをつけなくても形容詞として使うことができます。上記の例では、heavy metal ionsにハイフンをつける必要はありません。heavy metalは一般的な言葉であり、heavyがionsではなくmetalを修飾していることは明らかだからです。
　ある複合語を一般的な語とみなせるかどうかの基準は、標準的な辞書に載っているかどうかが目安になります。

Definition of amino acid noun from the Oxford Advanced Learner's Dictionary

amino acid *noun*

BrE /əˌmiː.nəʊ ˈæsɪd/; NAmE /əˌmiː.noʊ ˈæsɪd/
(*chemistry*)

★ Add to my wordlist

any of the substances that combine to form the basic structure of proteins

---

Definition of nuclear power noun from the Oxford Advanced Learner's Dictionary

nuclear power *noun*

BrE; NAmE
[uncountable]

→ = nuclear energy

Reproduced by permission of Oxford University Press
From http://www.oxfordlearnersdictionaries.com/ originally based on OALD 9e print edition
©Oxford University Press 2015

このように、amino acid（アミノ酸）とnuclear power（原子力）は辞書の見出し語として掲載されています。したがって、amino acid biosynthesis（アミノ酸生合成）やnuclear power plant（原子力発電所）のような用語にはハイフンは不要です。

> 名詞を修飾するわけではないのでハイフンは不要

誤 The role of this phenomenon in child development is well-known.

正 The role of this phenomenon in child development is well known.
（子供の成長におけるこの現象の役割は、よく知られている。）

この場合、複合形容詞のwell knownは、それが説明している名詞（ここではrole）の後に登場します。したがって、ハイフンでつなぐ必要はありません。ハイフンでつなぐ必要があるのは、それが説明する名詞の前に登場する場合のみです（例 a well-known phenomenon）。

Column 　　　　　　　　　**おかしな例**

下の文を読んで意味を考えてみましょう。誰かがトラを食べたのでしょうか？それとも、トラが人を食べたのでしょうか？

This story by Jim Corbett is about a man eating tiger.

以下が改善例です。人喰いトラであることを示すためにはハイフンが必要ですね。

This story by Jim Corbett is about a man-eating tiger.

ミス64 コロンではなくセミコロンに続けて事項を列記する

校正者の知恵！

● リストアップにはセミコロンではなくコロンを使うべし

コロンとセミコロンにはそれぞれ別の機能があるので、入れ替えて使うことはできません。

セミコロン（;）は、独立した2つの節（完全な文として成立する節）がたがいに関連していることを示します。一方、コロン（:）は、物事をリストアップし、それらに注意を引くために使います。

例
The children played in the rain; hence, they caught a cold.
（子供たちは雨のなかで遊んだ。だから風邪を引いた。）
The course includes the following subjects: Art, History, and Music.
（そのコースにはアート、歴史、音楽の科目が含まれている。）

誤 The patients were divided into three groups; mild anemia group, moderate anemia group, and severe anemia group.
〔列記の前にセミコロンを使っている〕

正 The patients were divided into three groups: mild anemia group, moderate anemia group, and severe anemia group.
（患者は軽度の貧血、中度の貧血、重度の貧血の3つのグループに分けられた。）

誤 The quality-of-life instrument consists of 26 items; two generic items and 24 standard items.
〔列記の前にセミコロンを使っている〕

正 The quality-of-life instrument consists of 26 items: two generic items and 24 standard items.
（生活の質（QOL）を測定する道具には汎用的な2項目および、標準的な24項目の26項目がある。）

上の例では患者のグループが、下の例では項目がリストアップされているので、コロンを使わなければなりません。

ミス65 セミコロンに関するその他のミス

校正者の知恵！

● 節と節を分ける以外のセミコロンの使い方も覚えておくべし

すでに述べたように、セミコロンは独立した2つの節を分けるときに使います。したがって、節と節ではなく、語句を区切る際にセミコロンを使うのは間違いです。

誤 We examined some of the factors affecting the accuracy of positioning these implants; i.e., patient position, implant shape and size, and

> セミコロンで語句を分けている

surgeon expertise.

正 We examined some of the factors affecting the accuracy of positioning these implants, i.e., patient position, implant shape and size, and surgeon expertise.
（我々は、これらの移植組織の正確な位置に影響を与える要素のいくつか、つまり患者の状態、移植組織の形状とサイズ、外科医の技量について調べた。）

この文では、セミコロンの後の部分は独立した節ではありません。したがってセミコロンではなく、カンマを使います。

ただし、セミコロンは、カンマで区切られた複数の要素をグループに分ける際に使う場合があります。

通常、1文のなかで3つ以上の要素をリストアップするとき、以下のように各要素を区別するためにカンマを使いますね。

例 I took biology, history, and mathematics as my supplementary subjects.
（私は追加科目として、生物、歴史、数学をとった。）

一方で、ある要素のグループ内ですでにカンマが使われている場合は、グループの区別にセミコロンを使うことができるのです。例を見てみましょう。

> **誤** Representatives from the following regions were not present at the conference: Boston, Massachusetts, Los Angeles, California, and Denver, Colorado.
>
> カンマではグループの区別がわからない
>
> **正** Representatives from the following regions were not present at the conference: Boston, Massachusetts; Los Angeles, California; and Denver, Colorado.
> (次の地域、すなわちマサチューセッツ州ボストン、カリフォルニア州ロサンゼルス、コロラド州デンバーからの代表者は会議に参加しなかった。)

ここでは都市の名前（Boston、Los Angeles、Denver）という3つの項目が挙げられ、その都市がある州の名前も述べられています。セミコロンがないと、6つの地域が挙げられているという誤解を生む恐れがあります。都市名と州名の間のカンマはグループ内の句読点なので、要素を分けるためには、セミコロンを使う必要があります。

問題にトライ　　解答はp.273

次の文のうち、セミコロンの使い方が間違っているものを選んでください。

① The following points were studied: (1) the level of atmospheric greenhouse gases in the Asia and Oceania regions; (2) terrestrial and oceanic carbon cycle and ecosystem; (3) and impact of climate change in vulnerable areas, such as the cryosphere.

② In one study, mothers of 10% of the offspring consumed 3 to 5 eggs per week; with the offspring showing no signs of this syndrome.

③ The lysates were centrifuged and supernatant collected; the protein concentrations in the supernatant were then measured.

ミス66 ピリオドの使い方がおかしい

校正者の知恵！

- 図表などの参照でカッコを使っている場合、ピリオドはカッコの後に置く。また略していないFigureの後にピリオドは不要

ピリオドは、間違って使われることはほとんどありません。しかしまれにミスが発生します。例を見てみましょう。

誤 The median survival time was 36 days, and the 1-year survival rate was 6.7% in the patients with myocardial infarction. (Figure. 1) The overall survival of the patients with myocardial infarction was lower than that of those without it.

> ピリオドがカッコの前にある。また略されていないFigureにピリオドがある

正 The median survival time was 36 days, and the 1-year survival rate was 6.7% in the patients with myocardial infarction (Figure 1). The overall survival of the patients with myocardial infarction was lower than that of those without it.
（心筋梗塞の患者における生存期間中央値は36日で、1年生存率は6.7%だった（図1）。心筋梗塞の患者の全般的な生存率は、心筋梗塞ではない患者の生存率よりも低かった。）

上の例の1文目では、図について言及されています。そのため、この文のピリオドは、図の参照の前ではなく、後ろに打たなければなりません。このルールは、文末にどのようなカッコがあったとしても同じように適用されます。

また、Figureを略さずに書いているので、Figureの後にピリオドを打つ必要はありません。略して書く場合は、Fig. 1のようにピリオドを打つのが適切です。

Table（表）の場合も、参照箇所のルールについてはFigureと同じです。ただし、省略せずにフルスペルで表記するという点に注意しましょう。

ミス67 キャピタライゼーションのルールにしたがっていない

校正者の知恵！
- 固有名詞以外の語頭のキャピタライゼーション・ルールを覚えるべし

　大文字に関するミスの多くは、見落としか、または基本的なルールを正しく理解していないために起こります。

　語頭を必ず大文字にするのは、固有名詞だけです。それ以外で語頭を大文字にするのは、文頭やサブタイトル、あるいは主要な単語をすべて大文字にするヘッドラインスタイル（後述）のタイトルだけです。

> bentoniteは普通名詞

誤 Many studies have explored the use of Bentonite as a water-purification agent.

正 Many studies have explored the use of bentonite as a water-purification agent.
（多くの研究で、水質浄化剤としてベントナイトを使うことを試している。）

　粘土鉱物であるベントナイトは固有名詞ではないので、大文字ではじめるのは間違いです。

> 略語をスペルアウトした語句の語頭が大文字になってしまっている

誤 We developed a sensitive Enzyme-Linked Immunosorbent Assay for measuring serum thrombopoietin levels.

正 We developed a sensitive enzyme-linked immunosorbent assay for measuring serum thrombopoietin levels.
（我々は、血清トロンボポエチン濃度を測定するための、高感度の酵素結合免疫吸着測定法を開発した。）

略語をスペルアウトする場合も、固有名詞でない限り、大文字ではじめる必要はありません。しかし、まれにそのようなスタイルを指定しているジャーナルもあるので、ジャーナルのガイドラインをよく確認しましょう。

> 商標名は Advil

誤 The patient was then prescribed 200 mg advil.

正 The patient was then prescribed 200 mg Advil.
（その患者はアドビル200 mgを処方された。）

商標やブランド名は、それらが流通しているとおりに表示しなければなりません。この例では、Advil（アドビル）が商標名です。一方、ibuprofen（イブプロフェン）等の一般的な薬の名前は、小文字で表記します。

> 化学名につく接頭辞は小文字

誤 Tert-butyl alcohol was used as the solvent.

正 tert-Butyl alcohol was used as the solvent.
（溶媒としてターシャルブチルアルコールを使用した。）

接頭辞（例 cis、trans、tert）のついた化学名が文頭に来るときは、接頭辞の最初は大文字にせず、接頭辞に続く単語の最初の文字を大文字にします。このルールは、ギリシャ文字の小文字（β-carotene β-カロテン）、スモールキャピタル（D-glucose D-グルコース）、結合部位を示す元素記号（N-acetyl N-アセチル）などではじまる化学名にも適用されます。

次にタイトルの例を見てみましょう。

> 接頭辞つきの複合語は接頭辞の語頭のみ大文字　　冠詞は小文字

誤 Post-Operative Drug-Induced Renal Failure In A 21-year-old Patient: A Case Report

> 文字数の少ない前置詞は小文字

> 正 Post-operative Drug-Induced Renal Failure in a 21-Year-Old Patient: A Case Report
> (21歳の患者における術後の投薬に起因する腎不全：症例報告)

　タイトルや見出しは、センテンススタイル（最初の文字だけを大文字にする）かヘッドラインスタイルで書きます。ヘッドラインスタイルでは、冠詞（上記の例ではa）や、at、by、in、of、on、upといった文字数の少ない前置詞（上記の例ではin）や、and、but、for、nor、or、so、yetといった文字数の少ない接続詞以外のすべての単語の最初の文字を大文字にします。

　A case reportのAが大文字なのは、直前がコロンで区切られ、前の記述とは別の要素が新たにはじまるからです。

　ハイフンでつなぐ複合語の場合、ハイフンでつながれたすべての単語を大文字にします（例 Drug-Induced（投薬に起因する）や21-Year-Old（21歳の））。例外は、post-などの接頭辞がつく場合です。接頭辞つきの複合語では、接頭辞の最初の文字だけを大文字にし、接頭辞に続く単語の最初の文字は、それが固有名詞でない限り、大文字にはしません。

問題にトライ

解答はp.274

次のうち、必ず大文字にしなければならないものはどれでしょうか。

①すべての化合物名の、最初の元素
②薬の商標名
③ヘッドラインスタイルの場合の、すべての短い単語

2 論文の構成と体裁に関するミス

　ここでは、論文の内容を提示し、構成を整える際のミスについて説明します。これらのミスは、著者の言語能力だけでなく、アイデアの明快さや執筆経験にも関わってきます。日本人著者の論文のなかには、英文としての水準は高くなくても、アイデアについては非常に論理的に提示されているものがあります。また、その逆の場合もあります。

　論文を書くという行為はコミュニケーション能力の1つであり、必ずしも研究における能力とは結びついていません。したがって、経験の浅い著者が多くのミスをするのは当然ですが、査読コメントを受けとっていろいろ学んできたはずの経験豊かな著者ですら、重大なミスをおかすことがあるのです。

　私たちのデータ分析は、多くの査読コメントから受ける印象と合致しています。イントロダクションと考察でのミスが多いのは、予想どおりでした。この2つは、構成を整え、話を論理的につなげ、読者を説得する能力がもっとも試される部分だからです。執筆上の難点がもっとも少ない材料と方法のセクションでのミスが多いことも、注目すべき点です。材料と方法での問題には、不適切な情報によるものが多数あります。

　ここでは、論文のさまざまなセクションをさらに磨き上げていくためのヒントを紹介します。複数のセクションに関わるミスは、「論文全体によくあるミス」の項にまとめました。

　最後の項では、基本的なフォーマットとレイアウトに関するミスをリストアップしています。

■論文全体によくあるミス

ミス68　提示された情報に矛盾がある

校正者の知恵！
- 示した数値に矛盾がないか、名称が統一されているかを確認すべし

　ここでは、査読者から指摘される矛盾点のうち、もっともよくある3つをとりあげます。

●単純な計算ミス

次の文は、どこが間違っているでしょうか。

> **誤** During this period, 257 women were admitted to the hospital for vertebral or hip fractures, 214 of whom met the inclusion criteria. Thirty-five women had chronic diseases: 15 had diabetes mellitus; 12, chronic hypertension; 3, autoimmune diseases; and 2, nephritis. Finally, 182 women were included in the study.

述べられている数字に矛盾がありますね。慢性疾患を持つ女性の数は、合計すると35人ではなく32人です。査読で原稿が綿密にチェックされるときにこのような見落としが見つかると、ずさんな原稿だという印象を与え、査読者の見る目も厳しくなるかもしれません。

単純な計算ミスは、多くの数字やパーセンテージを報告する論文で頻繁に起こりますが、微妙な傾向を論じている場合は、重大なミスになりかねません。

> **正** During this period, 257 women were admitted to the hospital for vertebral or hip fractures, 214 of whom met the inclusion criteria. Thirty-two women had chronic diseases: 15 had diabetes mellitus; 12, chronic hypertension; 3, autoimmune diseases; and 2, nephritis. Finally, 182 women were included in the study.
> （期間中、257人の女性が脊椎または股関節の骨折でその病院に収容され、うち214人が選択基準を満たしていた。32人の女性が慢性疾患を持っており、その内訳は糖尿病15人、高血圧12人、自己免疫疾患3人、腎炎2人であった。最終的に182人の女性が調査対象となった。）

●アブストラクトと本文のデータの不一致

アブストラクトと本文のデータの不一致は、執筆後に本文を手直しし、それをアブストラクトに反映しないまま投稿してしまう場合に起こります。よくある不一致は、次のとおりです。

- 数字の不一致（例 標本・被験者・実験動物の数、実験などで得られた値）
- 患者の呼称や治療グループの名称の不一致
- 用語の不一致（例 病名、ステージ、手順）
- 結果を解釈するときの言いまわしの不一致（例 X prevents a condition「Xが症状を抑える」とX delays a condition「Xが発症を遅らせる」）
- 同じものの値に使う単位の不一致（例 同じ溶液の濃度を述べるときにmg/mLとμg/mLの両方を使う）

アブストラクトは、本文が完成してから書くようにしましょう。また、指導教官や同僚のコメントにもとづいて本文を修正したら、アブストラクトも注意深く見直しましょう。

●結果セクションと図表の不一致

　結果セクションの本文で述べている内容と、図表で示している内容に矛盾があるのは、重大なミスです。単なる不注意ということもあれば、意図的に矛盾した内容を述べてしまう場合もあります。

　このようなミスを防ぐには、次のような方法があります。

- 結果について述べるときは、慎重に言葉を選ぶ。たとえば、図表データに明確なパターンが見られる場合のみ、trendやtendency（いずれも「傾向」）という単語を使うようにする。
- 論文中にグループ名や病名が多く登場するときは、それぞれの結果を本文や図表のなかでとり違えないようにする。
- それぞれの結果について述べる際、正しい図表を参照しているか確認する。
- 強調のために本文と図表の両方で数値を示すときは、必ず数字が一致するようにする。

Column　矛盾を避けるために行なうべきこと

① 計算機などで、合計や割合の数字がすべて正しいかチェックする。
② 結果セクションは、数字やその他の点で図表との矛盾がないかをとくによく確認する。
③ 最後に必ず本文のすべてのセクションのチェックを行ない、同一の情報が提示されているか確認する。

ミス69 小見出しの順番が不合理

> **校正者の知恵！**
> ● 適切な根拠にもとづいて小見出しの順序を決めるべし

原著論文では、方法と結果のセクションで小見出しが使われることがよくあります。

●材料と方法

単に材料、被験者、方法について詳しく述べるだけでは不十分です。行なわれた実験について読者が読み進めやすいよう、実験の手順を合理的な順序で並べる必要があります。

実験の手順を適切な順序で述べれば、実験の背後にある理論的根拠も理解しやすくなります。時系列に沿って述べるか（例 患者の症例を最初に説明する）、そのほかの根拠にもとづいて述べましょう（例 主要な研究目的に対する各要素の重要度順に説明する）。

重要なのは、実験について不明瞭な点や曖昧な点がないように説明することです。方法を適切な順序に並べるだけでなく、実験の目的を簡潔に述べても構いません。こうすることで、セクション全体が引き締まります。

●結果

結果セクションも、論文の主要な結果をもっとも効果的に示せる順序で提示することが望ましいです。具体的には、次の3つの方法で実践できます。

● **方法セクションで述べた方法と同じ順序で対応する結果を述べる**
こうすることで2つのセクションを対比させながら読むことができるので、読者は読みやすくなります。

● **時系列に沿って述べる**
これは、経過観察について報告する場合に有効です。

● **もっとも重要なことを最初に述べる**
研究をはじめる前に検討したリサーチ・クエスチョンの答えとしてもっとも近い結果を先に書いて目立たせ、重要度の低いその他の関連事項、不測の結果、補足的事柄につい

ては、その後に書きます。

　論文には、読者に伝えたい内容がぎっしり詰まっています。そのため、小見出しの順序は大変重要です。そしてその小見出しが、論理の流れを的確に示し、キーポイントに沿ったものになっているか確認しましょう。

■ タイトルのミス

ミス70 タイトルが曖昧

校正者の知恵!

- 読む意味のある論文であると読者が判断できる情報をタイトルに盛り込むべし

論文タイトルは、その論文の広告のようなものです。読者の関心を引く情報がタイトルに盛り込まれていなければ、たとえ内容が興味深いものであったとしても、その論文は読んでもらえないでしょう。

タイトルの情報量が不十分

避けるべき Surgical results for acquired bilateral superior oblique palsy
（後天性の両側性上斜筋麻痺の手術成績）

好ましい Inferior rectus muscle transposition is effective for treating acquired bilateral superior oblique palsy: A meta-analysis
（下直筋の移植は、後天性の両側性上斜筋麻痺の治療に有効である：メタ解析）

　もとのタイトルは、読み手に、①症状を調べた症状、②外科的処置をとったことという2つの事実しか伝えていません。

　修正後のタイトルは、①調べた症状、②具体的な外科的処置、③処置が有効であったかどうか、④研究デザインの4点に触れています。これなら、読む意味のある論文かどうかを読者が判断できるだけの、十分な情報が含まれています。

　次に紹介する「ミス71」のコラムで示しているように、タイトルのなかに、研究におけるもっとも重要なキーワードやコンセプト、使った方法、調べた標本または範囲、もっとも重要な結果を組み込めるかどうか考えてみましょう。

ミス71 タイトルが長すぎる

校正者の知恵!

● タイトルは論文の全体像を簡潔に示すものにすべし

タイトルはできるだけ具体的であることが望ましいですが、情報が多すぎて雑然としてしまうと、肝心なポイントから読者の目が逸れてしまいます。

避けるべき 〈タイトルの情報量が多すぎる〉
Determination of differences in the spermatogenic cycle, seasonal changes in seminiferous tubule morphology, and breeding season of the Indian wild dog (*Cuon alpinus*) in the states of Kerala, Madhya Pradesh, and Assam, India
(インドのケララ州、マドーヤプラデシ州、アッサム州で見られる野生犬種（*Cuon alpinus*）の、精子形成サイクルの差異、細精管形態の季節的変動、および繁殖期の判別)

好ましい Latitudinal variation in the reproductive characteristics of the Asiatic wild dog (*Cuon alpinus*) in India
(インドで見られるアジア産野生犬種（*Cuon alpinus*）の生殖特性における緯度変動)

避けるべきタイトル例は、それぞれの調査を行なった場所がすべて列挙されているために、理解しにくくなっています。そこまで詳しい情報は、通常タイトルでは必要ありません。

重要なのは、論文の全体像を示すことです。latitudinal variation（緯度変動）という語を使えば、さまざまな地域で調査が行なわれたことが示されるだけでなく、緯度の異なる地域で調査が行なわれたという、もとのタイトル例にはない情報も伝えられます。また、reproductive characteristics（生殖特性）という語で、各種の調査をまとめて表現しています。この総称を使うことで、このテーマに関心を持つかもしれない他分野の読者にとって、よりわかりやすいタイトルになるでしょう。

よいタイトルは以下のポイントを満たしています。

● 読者の視点にたっており、興味をかきたてる

- 論文の本質を捉えている
- 正確で具体的であり、なおかつ一般的すぎない
- まとまりを欠いた不要な詳細を含まない
- 幅広い分野の読者を対象としている

Column　印象的なタイトルを作るための5つのステップ

① 次の項目を書き出す。
- 研究におけるもっとも重要なキーワードやコンセプト
- 使った方法
- 調べた標本または範囲
- もっとも重要な結果

② リストアップしたすべての項目を含むタイトルのたたき台を作る(文章形式でも構わない)。

③ 不要なものを削る。

④ 具体的すぎる内容は一般的な用語で表す(前ページの例を参照)。

⑤ タイトルに関するジャーナルの指示や、分野に特有の約束事に注意する(研究デザインを説明するサブタイトルの追加、語数制限など)。

■ アブストラクトのミス

ミス72 構成が論文全体の流れに沿っていない

校正者の知恵!

● アブストラクトは論文全体の流れに沿って書くべし

　論文の種類にもよりますが、アブストラクトの構成は通常、論文全体の情報の流れを大まかに反映しているものです。どのような構成のアブストラクトが推奨されるかは、ジャーナルによって異なります。具体的な小見出しが必要な場合もあれば、とくに構成を定めず1パラグラフで書くよう求められる場合もあります。

　しかし、原著論文のアブストラクトは、基本的に以下の流れに沿っているといってよいでしょう。

```
背景・目的
  ▼
研究内容・方法
  ▼
結果・結論
```

次の短いアブストラクトを読み、どこが問題か考えてみてください。

> **避けるべき** Our observations of the foraging behavior of the Atlantic walrus (*Odobenus rosmarus rosmarus*) in the wild in combination with measurements of limb skeletal asymmetry suggest that lateralized limb use occurs in the walrus. ◀ 結論 ▏ This is the first study that describes their underwater foraging behavior in their natural habitat, as documented by scuba divers. ◀ 研究内容・方法 ▏ Very little direct documentation is available for this behavior since they are a large and potentially dangerous species. They are highly specialized predators with a unique feeding niche. ◀ 背景 ▏ The video recordings indicated a predisposition to using the right front flipper during feeding. This predisposition was further

explored by examining a museum collection of walrus skeletons for asymmetries in the bones of the extremities.※ ◀ 結果・結論

（大西洋のセイウチ（*Odobenus rosmarus rosmarus*）の、野生における採餌行動の観察結果と、肢の骨格の非対称性という測定結果を組み合わせると、セイウチは肢を左右方向に動かして使うということが示唆される。これは、潜水士らによって詳細に記録され、自然生息地におけるセイウチの水中での採餌行動について述べた最初の研究である。セイウチは大型で、潜在的に危険な種であるため、この行動に関する直接的な資料はほとんどない。セイウチは、独特の摂食行動をとる極めて特殊な捕食者である。映像記録では、摂食中に右前方の鰭を使う傾向が示されていた。この傾向については、博物館に収蔵されたセイウチにおける骨格の四肢の骨の非対称性を詳しく調べることで、さらに探究した。）

　このアブストラクトは、まず結論から書きはじめており、背景や方法は後から述べられています。このような恣意的な構成のアブストラクトは、読者にとって読みにくいものです。

　研究全体を要約しなければならないアブストラクトの執筆は、著者にとって荷が重い作業です。このアブストラクトを書いた著者はおそらく、得られた結果を中心に書きはじめ、その後でほかの関連情報を追加していったのでしょう。

　理想的な方法は、最初に論文全体の構成に沿ったアウトラインを用意することです。このアウトラインは、論文の構成に大筋で沿ったものにする必要があります（例　原著論文の場合、背景➡方法➡結果➡結論。症例報告の場合、背景➡事例の詳細➡結論）。タイトルを考えるときと同様に、カギとなるコンセプトや結果をリストアップし、それらをアウトラインに沿って並べ替えましょう。

　その後で、ジャーナルの語数制限を念頭に置いてアブストラクト本文を書きはじめましょう。この手順は、章だてを必要としないアブストラクトでは、とくに重要となります。見出しがないので、どのような構成になっているのかを見失いやすくなるからです。

　以上をふまえながら、このアブストラクトをどのように改善できるか、考えてみましょう。

※ 次の文献をもとに作成。Levermann, N., Galatius, A., Ehlme, G., Rysgaard, S., & Born, E. W. (2003). Feeding behaviour of free-ranging walruses with notes on apparent dextrality of flipper use. *BMC Ecology, 3*, 9. doi: 10.1186/1472-6785-3-9. http://www.biomedcentral.com/1472-6785/3/9

> 好ましい
>
> Atlantic walruses (*Odobenus rosmarus rosmarus*) are highly specialized predators with a unique feeding niche. Their natural underwater foraging behavior is poorly understood; since they are a large and potentially dangerous species, very little direct documentation has been acquired. ◀ 背景 ▶ This is the first study that describes their underwater foraging behavior in their natural habitat, as documented by scuba divers. ◀ 研究内容・方法 ▶ The video recordings indicated a predisposition to using the right front flipper during feeding. This predisposition was further explored by examining a museum collection of walrus skeletons for asymmetries in the bones of the extremities. The observations of foraging behavior in the wild in combination with the measurements of limb skeletal asymmetry suggest that lateralized limb use occurs in the walrus. ◀ 観察結果と結論
>
> （大西洋のセイウチ（*Odobenus rosmarus rosmarus*）は、独特の摂食行動をとる、極めて特殊な捕食者である。その水中での野生の採餌行動については、ほとんどわかっていない。セイウチは大型で、潜在的に危険な種なので、直接的な資料がほとんどないのである。これは、潜水士らによって詳細に記録され、自然生息地のセイウチの水中での採餌行動について述べた最初の研究である。映像記録では、摂食中に右前方の鰭を使う傾向が示されていた。この傾向について、博物館に収蔵されたセイウチにおける骨格の四肢の骨の非対称性を詳しく調べることで、さらに探究した。野生における採餌行動の観察結果と、肢の骨格の非対称性という測定結果を組み合わせると、セイウチは肢を左右方向に動かして使うということが示唆される。）

　修正後のアブストラクトは、論文全体の流れに沿った構成になっているので、読み手は抵抗なく読むことができます。

ミス73 重要な情報の欠如

校正者の知恵！

- 重要な情報を欠落させないため、まずは投稿するジャーナルのアブストラクトのフォーマットを確認すべし

　アブストラクトを書くときに著者が抱く疑問は、タイトルを考えるときの疑問と似ています。「どの程度詳しく書けばいいのか」ということです。投稿しようとしているジャーナルの語数制限にも注意する必要があるので、何を盛り込むかを決めるのは難しいことです。

　最初に自分なりにアブストラクトの本文を書いてしまい、後からジャーナルの要求に合わせるという書き方をする著者もいるでしょう。しかし、この方法では、重要な情報を入れ忘れたり、うっかり削除してしまったりすることがあります。アブストラクトは、それだけで研究全体を見渡せるものでなくてはなりません。重要な情報については本文を参照してもらえるだろう、という期待は禁物です。多くの人は、アブストラクトをもとに論文を読むかどうかを決めるからです。

　我々英文校正会社の経験からすると、とくに構成が定まっていないアブストラクトの場合、著者は次の項目を入れ忘れていることが多いようです。

●明確な目的

　これは、背景（その研究を行なった理由）がすでに述べられている場合に起こりがちです。背景を読めば目的は推測できるだろうと思い、目的を省略してしまうのです。また、得られた結果を先に書き、これを読めば目的も伝わるはずだと思い込んでしまうケースもあります。

●カギとなる方法

　研究の主要な結果を理解するために、方法に関する情報は欠かせません。方法に関わるおもな情報は、すべてアブストラクトに含めるべきです。抜け落ちやすい項目は、実験群や対照群に割りあてられた被験者や動物の基本情報（数、年齢、性別）、研究デザイン、調査項目です。

● 結果

　実験や調査の主要な結果を書き忘れる著者はほとんどいません。書き忘れるとしたら、相互に関連する主要な結果が複数ある場合です。たとえば、ある狭い地域の生態に関する調査を行なえば、生物多様性の構成やそれらの相互関係について、10個は発見があるはずです。著者が元データをきちんと整理していなければ、いくつかの結果をうっかり書き漏らしてしまうことも考えられます。

● 結論

　多くの場合、この部分がアブストラクトの弱点になっています。著者は、結果が何を意味するかという見解を述べることなく、唐突に結論を書いて締めくくりがちです。読者は、研究の意味を知りたいはずです。この部分はたいてい1文か、または短いパラグラフでまとめられます。

　このようなアブストラクトのミスを避けるコツは、最初にキーワードを抽出し、それにもとづいてアウトラインを構成し、そのアウトラインに沿って本文を肉づけすることです。こうすることで、重要なポイントから焦点がブレにくくなります。

Column　隙のない、構成の優れたアブストラクトの書き方

① ジャーナルのガイドラインで指定のフォーマットを確認する（例 小見出しの有無）。
② 論文から重要なキーワードをすべて抽出する。
③ ジャーナルが指定する小見出しを柱として、それぞれの小見出しにキーワードをあてはめながらたたき台を書く。
④ ジャーナルが小見出しを指定していない場合は、そのジャーナルのアブストラクトの見本を確認し、何が書かれているかを大まかにつかんだ上でたたき台を書く。
⑤ 最後に、たたき台に文章を肉づけする（こうするとキーポイントから焦点がずれにくい）。

■ イントロダクションのミス

ミス74 背景に一貫性がない

校正者の知恵！

- 断片的な情報の羅列にならないよう、読者の納得する
イントロダクションの展開を考えるべし

ある国の自転車競技の発展を扱ったドキュメンタリー番組を観ている場面を想像してください。まずは夏季オリンピックの話題からはじまり、続いてその国の経済の変遷が語られ、競技自転車の種類の話に移り、最後にその国の現役のプロサイクリストが紹介されます。

これらのトピックは、その国で自転車競技がどのように発展してきたかというテーマに関連があるでしょうか。大いにありそうですね。ただ、視聴者が番組を見続けるかどうかは、メインテーマにスポットライトをあてつつ話題を次々に切り替える、番組製作者の腕にかかっています。

論文のイントロダクションは、研究の理論的背景について読者に納得してもらうための物語と言えるでしょう。納得してもらうためには、一貫性が必要です。

優れたイントロダクションを書くのは、著者にとって大変なことです。研究テーマに関わるさまざまな考えやエビデンスを、つなぎ合わせる必要があるからです。行なった研究から情報の断片をとり出して並べてみせるだけでは、不十分です。研究への興味をかきたてる枠組みを作り、最終的に事実と事実の間にあるつながりを探し出すことは、読者でも査読者でもなく、著者の役目です。

以下は、低用量のヘパリンで自己免疫性糖尿病の発症を遅らせることができるかを述べた、架空の論文のイントロダクションです。一貫性はあるでしょうか。

> **例** Type 1 diabetes is a chronic autoimmune disease caused by the destruction of insulin-producing β cells of the pancreatic islets by autoreactive T cells (1, 2). In nonobese diabetic (NOD) mice, diabetes develops as the result of insulitis, which is initially characterized by leukocytic infiltration of islets and the gradual development of hyperglycemia after 16 weeks of age (3). Heparin has been widely used as an anticoagulant agent (4). In addition, it has been reported to have an anti-inflammatory effect (5, 6). Low-dose heparin can inhibit inflammatory signal transduction in murine macrophages (7).

（1型糖尿病は、自己反応性T細胞による膵島のインスリン産生β細胞の破壊によって起こる慢性自己免疫疾患である（1、2）。非肥満型糖尿病（NOD）のマウスでは、膵島炎の結果として糖尿病が発症する。これは主として、膵島の白血球浸潤と、生後16週以降に徐々に進行する高血糖によるものとみなされる（3）。ヘパリンは、抗凝固剤として広く使われている（4）。また、抗炎症性作用を持つと報告されている（5、6）。低量のヘパリンは、マウスのマクロファージにおける炎症のシグナル伝達を阻害する可能性がある（7）。)

　この文章を読んでうんざりし混乱したとしても、無理はありません。これは導入として、興味を引くことに失敗している例です。著者は、1型糖尿病の話題からはじめています。非肥満型糖尿病マウスの糖尿病の発症について述べるのに、なぜこの話題が重要なのでしょうか。抗凝固剤として使われたヘパリンは、糖尿病とどう関係するのでしょうか。
　著者と同じ分野の読者なら、このストーリーの断片をつなぎ合わせることができるかもしれませんが、他分野の人には難しいでしょう。
　一貫性のあるイントロダクションの書き方について、以下の一例を参考にしてください。

●一貫性のあるイントロダクションの書き方の一例

1. まずリサーチ・クエスチョンを書き出す。
2. すべてのアイデアと、関連する素材をサブテーマに分類し、それぞれがリサーチ・クエスチョンとどのようにつながるかを書き出す。
3. 最初に広範なテーマについて書き、それから具体的な個別のテーマを書き進める。
4. 必要に応じて、therefore、for example といった転換語を挿入する。
5. 書き終えたら、事実と事実の間に矛盾がないか厳しくチェックする。

ミス75 理論的背景と研究目的が不明瞭

校正者の知恵!

- 研究テーマを選んだ理由を明確にし、
  研究目的につながるように理論的根拠を述べるべし

　リサーチ・クエスチョンとは、具体的な回答が可能な問いかけです。研究を行なう前に問いかけを行ない、これをもとに目的を決めます。原稿のすべてのセクションは、リサーチ・クエスチョンを拠り所としており、リサーチ・クエスチョンにもとづいて見直されることになります。したがって、イントロダクションでは、自分がなぜその研究を選んだのか、という確固たる根拠を提示しなければなりません。さらに、研究目的そのものをできるだけ明確かつ具体的に述べる必要があります。

● 理論的根拠を説明する

- どのような研究目的につながるのかが読者にはっきり伝わるように背景を述べる。あるポイントから別のポイントに話を進めるときは、これから提示されることを、読者が自然に推測できるような形で行なわなければならない。
- 研究テーマについてわかっていることが少ないと述べるだけでは、理論的根拠として不十分。その研究テーマについて知ることがなぜ重要なのかを強調する。
- ある事象や処置について調査した場合は、調査の対象とした集団や項目を選んだ理由を述べる。

● 研究目的の対象範囲を明確にする

- 目的を設定する際の土台として、リサーチ・クエスチョンを利用する。
- 一般的にではなく、具体的に述べる。
- 測定対象と、測定した調査サンプルについて簡潔に述べる。

また、研究目的そのものをできるだけ明確かつ具体的に述べましょう。

> 具体性に欠ける

避けるべき In this study, we investigated the effect of heparin in mice with autoimmune diabetes.
（我々はこの研究で、自己免疫性糖尿病のマウスにおけるヘパリンの効果を調査した。）

好ましい In this study, we investigated whether low-dose heparin can delay the onset of autoimmune diabetes in NOD mice.
（我々はこの研究で、低用量のヘパリンによって、非肥満型糖尿病のマウスにおける自己免疫性糖尿病の発症を遅らせうるかを調査した。）

避けるべき文の目的には、具体性がありません。著者は、どのような効果について調査したのでしょうか。修正後の目的には十分な情報が盛り込まれており、この研究が目的を果たしたかどうかを読者が評価する際にも有効です。

ミス76 必要以上に結果について述べる

校正者の知恵!

- 結果についての記述は1、2行程度にとどめるべし

　イントロダクションは研究目的で締めくくるのが普通ですが、その目的が達成されたかどうかを1、2行で簡潔に述べる場合もあります。ここに、得られた主要な結果についてのおおよその説明を書いてもよいでしょう。イントロダクションをスマートに締めくくることができますし、論文でこれから何を言おうとしているかを示唆してくれるからです。

　しかし、結果を不必要に詳しく述べてしまうと、イントロダクションというよりも、長いアブストラクトになってしまいます。しかも、結果と考察のセクションでも同じことを述べるので、繰り返しの多い論文という印象を与えるでしょう。以下は、イントロダクションの締めくくりの例です。

避けるべき　　　　　　　　　　論点が分散している

In this study, we investigated whether low-dose heparin can delay the onset of autoimmune diabetes in NOD mice. Our results showed that the production of interleukins by splenocytes was significantly lower in heparin-treated mice than untreated mice and that 0.1 µM/L heparin was more effective than 2 and 5 µM/L heparin. Further, treatment with 0.1 µM/L heparin reduced the signs of insulitis to a significantly greater extent than 5 µM/L heparin.

（我々はこの研究で、低用量のヘパリンによって、非肥満型糖尿病のマウスにおける自己免疫性糖尿病の発症を遅らせうるかを調査した。その結果、ヘパリンを投与する治療を施したマウスでは、治療を施していないマウスにくらべて、脾臓細胞によるインターロイキンの産生が有意に低いことが示された。また、0.1 µM/Lのヘパリンのほうが、2 µM/Lと5 µM/Lのヘパリンよりも効果が高かった。さらに、ヘパリン0.1 µM/Lの治療では、ヘパリン5 µM/Lでの治療とくらべて、膵島炎の兆候が有意に減少した。）

> **好ましい** In this study, we investigated whether low-dose heparin can delay the onset of autoimmune diabetes in NOD mice. We found that mice treated with doses of heparin at concentrations below 1 μM/L had significantly lower incidence of autoimmune diabetes than untreated mice at 16 weeks of age, suggesting that low-dose heparin can delay the onset of the disease.
> (我々はこの研究で、低用量のヘパリンによって、非肥満型糖尿病のマウスにおける自己免疫性糖尿病の発症を遅らせうるかを調査した。1 μM/L未満の濃度のヘパリンを投与する治療を施したマウスは、治療を施していない16週目のマウスとくらべて、自己免疫性糖尿病の発生率が有意に低かった。このことは、低用量のヘパリンがこの疾患の発病を遅らせうることを示唆している。)

　結果についての記述は、なるべく1〜2行に収めるようにしましょう。具体的すぎたり、データに依存しすぎたりすることなく、一般化した書き方をすることが重要です。前ページの避けるべき例では論点が分散しすぎているので、読者はこの研究への興味を失ってしまうでしょう。好ましい例は、主要な結果（アブストラクトのなかに結論として含める内容）を中心に述べています。

ミス77 先行研究を詳細に書きすぎる

校正者の知恵!

● 先行研究を分類し重要度の高いものを選択して書くべし

　研究を実際にはじめる前に徹底的に文献調査を行なったことを読者に理解してもらうためには、そのテーマについて何が既知の事柄で、何が未知の事柄なのかをすっきりとした形で示す必要があります。とはいえ、引用したすべての研究について述べる必要はありません。

　たとえば、研究目的が、「鳥類が目的地を定める能力に、地球磁場の変化がどのような影響を与えるかを見極めること」だったとしましょう。この場合、イントロダクションで、別の5種類の鳥が地球磁場の変化をどのように感じとるか、という先行研究の調査結果について詳しく述べる必要はありません。

　関連する種についてわかったことは、せいぜい1、2文でまとめましょう。論文のテーマは、調査対象とした鳥類が地球磁場の変化を感じとるかどうかではなく、そのような変化が鳥類に影響を与えるかどうかです。よって、5種類の鳥が地球磁場の変化をどのように感じとるかに関する詳細な情報を含めるのではなく、ただ単純に Previous studies have shown that five other species in this genus can sense ... (過去の研究では、この属の別の5種類の鳥は…を感じとれることが示されている)と書けば十分です。

　イントロダクションの各ポイントで、いくつかの研究に触れる必要があるかもしれませんが、各研究について個別に述べるのはやめましょう。話が具体的になりすぎますし、個別に述べる必要性もないからです。また、読者の気を散らしてしまう可能性もあります。研究を総括する1点だけを際立たせることに集中し、個々の研究には簡単に触れるだけにしましょう。論点が、研究をはじめる前に検討したリサーチ・クエスチョンからずれないようにしましょう。

Column　優れたイントロダクションを書くための準備

① すべての引用文献を、リサーチ・クエスチョンの切り口ごとに分類する（例 調査した種、調べた現象、使った方法、地理的位置）。
② 分類した引用文献が、リサーチ・クエスチョンとの関連性から見て一般的か特殊かという観点からさらに分類する。
③ 同じことを裏づけている文献と異なることを裏づけている文献を見極める。同じことを裏づけている文献は、まとめて簡潔に述べるにとどめ、異なることを裏づけている文献については個別に言及する。
④ 事実ごとに重要度を決めて書きはじめる。

■材料と方法のミス

材料と方法のセクションで査読者や読者に伝えるべきことは、リサーチ・クエスチョンにどのように答えたかということです。得られた結果がどれほど重要で興味深いものであっても、査読者や読者による判定は、用いた方法が適切だったかどうかにもとづいて下されます。このセクションでのミスは、記載漏れがほとんどです。その意味では、一番書きやすい部分でありながら、重要な情報がもっとも欠落しやすいセクションであるとも言えるでしょう。

ミス78　材料や被験者の情報が不十分

校正者の知恵！
- 文献のレビュー段階で必要な材料や被験者の情報をリスト化すべし

材料や被験者についての記載漏れを防ぐ方法として、その分野の文献をレビューする際に、それらの論文の方法セクションで自分が必要とした材料や被験者の情報を、リスト化しておくことをお勧めします。その上で、ほかの研究者があなたの実験を再現する際に欠くことのできない情報をまとめましょう。

以下では、著者がよく書き忘れてしまう点を紹介します。

●実験装置や用具の種類、型式（モデル）、製造元

誤（企業の国名・都市名がない）
Droplet formation was observed using a microscope (BX50; Olympus), and images were captured using a high-speed video camera (Redlake).

（製品名、企業の都市名がない）

正 Droplet formation was observed using a microscope (BX50; Olympus, Tokyo, Japan), and images were captured using a high-speed video camera (MotionPro HS Series; Redlake, San Diego, CA).
（液滴形成は顕微鏡（BX50、オリンパス、日本、東京）で観察し、画像は高速ビデオカメラ（MotionPro HS Series、レッドレイク、カリフォルニア州サンディエゴ）で撮影した。）

型式や企業名を書くときは、つづり、大文字小文字の区別、句読点（例 ハイフンの有無）などに注意しましょう。
　通常、米国企業の場合は州名と都市名を記載する必要があります。そのほかの国の企業は、国名と都市名を記載します。

●化学物質やその他の材料の出所

> キットの製造元、タンパク質をどこから採取したかが抜けている

誤 Total protein was extracted using a protein extraction kit.

正 Total protein was extracted from skeletal muscle tissue and the epithelium using a protein extraction kit (PRO-PREP; iNtRON BIOTECHNOLOGY, Seoul, Korea).
（総タンパクは、タンパク質抽出キット（PRO-PREP、iNtRON BIOTECHNOLOGY、韓国、ソウル）を用いて骨格筋組織と被膜組織から抽出した。）

　試薬の製造元に関する詳細のほか、細胞、組織、タンパク質の出所も明記する必要があります。たとえば植物の調査では、用意した抽出物をどこから採ったのか（葉、茎、根など）、それらの植物はどの季節のどの成長段階で採取したのかなどを明記します。

> 緯度と経度が抜けている

誤 Soil samples were collected from two locations in Kaziranga National Park.

正 Soil samples were collected from two locations in Kaziranga National Park, Assam, India (latitude: 26°40′0″N, longitude: 93°21′0″E).
（土壌サンプルは、インドのアッサム州にあるカジランガ国立公園内の2地点で採取した（北緯26°40′0″、東経93°21′0″）。）

　地理的な位置を述べる際は、正確な緯度と経度を示します。

●実験や調査に用いた動物の詳細

> 実験に用いた動物の週齢、性別、数が抜けている

誤 BALB/c mice were obtained from Charles River Laboratories (Margate) and used for all experiments.

> 国名が抜けている

正 Ten female BALB/c mice (age, 6 to 8 weeks) were obtained from Charles River Laboratories (Margate, United Kingdom) and used for all experiments.
（メスのBALB/cマウス（生後6〜8週）10匹をチャールズリバー研究所（英国、マーゲイト）で入手し、すべての実験に用いた。）

年齢、性別、用いた動物の数は、見落としがちな情報です。

●実験や調査に参加した人の詳細

> 患者の性別、年齢、症状が抜けている

誤 We reviewed the records of 15 patients who underwent enteroscopy.

正 We reviewed the records of 15 patients (6 women, 9 men; mean age 60 ± 12 years, range 21–89) with chronic rectal bleeding or abdominal pain, or both, who underwent endoscopy.
（我々は、慢性直腸出血または腹痛、あるいはその両方の症状を持つ、内視鏡検査を受けた15人の患者（女性6人、男性9人、年齢平均値60 ± 12歳、年齢幅21〜89歳）の記録をレビューした。）

人の場合も、被験者や患者の年齢と性別が見落とされがちです。また、患者に関する重要な補足情報があれば、それも明記します。

ミス79 研究デザインや方法の情報が不十分

校正者の知恵!

● 研究を再現するために不可欠な情報を漏らさず書くべし

医療研究などいくつかの分野では、研究課題や研究範囲によって、さまざまなタイプの研究デザインが適用されます。それぞれのタイプにメリットとデメリットがあるので、実験の詳細を述べる前に、どの研究デザインを用いたのかを明記することが重要です。

また、査読者がもっともよく指摘する不備は、実験の詳細が不十分、あるいは一般的すぎる、という点です。

例として、「運動によって65歳以上の被験者の認知能力はどのように改善するか」という架空の実験に関する方法セクションの文章を見てみましょう。

> **避けるべき** 〔実験を再現するための情報が不十分〕
>
> The intervention group consisted of 120 subjects, and the control group, 135. Subjects in the intervention group were instructed to perform a physical exercise for 6 months, and those in the control group were instructed not to. The cognitive ability of the subjects was assessed using the mini-mental state examination.
>
> (介入群は120名の被験者、対照群は135名の被験者からなっていた。介入群の被験者は6か月間運動を行なうよう指示され、対照群の被験者は運動を行なわないよう指示された。被験者の認知能力について、ミニメンタルステート検査で評価した。)

この実験を再現しようとする人にとって、この説明は十分でしょうか。次の情報が欠けています。

1. 被験者をどのように集め、彼らをどのように2グループに分けたのか。無作為に割りあてたのか
2. 介入群はどのような運動を行なったのか
3. 運動の頻度、継続時間、強度はどれくらいか
4. 認知能力をどの時点で測定したのか

5 どんな認知能力を測定したのか

　このような重要な情報の記載漏れがあると、実験が事前に十分に練られていない、ずさん、結果も信用できない、という印象を与えてしまいます。
　正しい例は、以下のとおりです。数字は、上記の欠けている情報の番号に対応しています。

> **好ましい**　We recruited 255 subjects who were referred to our tertiary care center between November 2010 and July 2014**1**. They were randomly assigned to two groups: an intervention group, consisting of 120 subjects, and an age- and sex-matched control group, consisting of 135**1**. Subjects in the intervention group were instructed to walk 2 km on a treadmill**2 3** every alternative day**3** for 6 months, and those in the control group were instructed not to. The cognitive ability (executive functions)**5** of the subjects was assessed every month**4** using the mini-mental state examination.
> （我々は、2010年11月から2014年7月の間にターシャリーケア（3次医療）センターにまわされた255名の被験者を集めた**1**。被験者は、120名の介入群と、年齢・性別を対応させた135名の対照群の2つのグループに無作為に割りあてられた**1**。介入群の被験者は、1日おきに**3**、6か月間、トレッドミルで2 km歩く**2 3**よう指示され、対照群は何も行なわないよう指示された。被験者の認知能力（実行機能）**5**は、毎月**4**、ミニメンタルステート検査で評価した。）

ミス80 データの分析方法に関する情報が不十分

校正者の知恵！
- データ分析についての4つの情報が入っているかどうかを確認すべし

　論文の統計データは、原稿の評価を行なう段階で精査されます。ジャーナルによっては、統計学者がデータ分析のチェックを行ないます。したがって、データ分析方法については、十分かつ正確な説明を行なうことが欠かせません。

　データ分析方法でジャーナルが求めているのは、以下の4つの情報です。具体例とともに見てみましょう。

1. 各種データ分析に使われたすべての統計的検定
2. データが検定の基準を満たしているか
3. 使用した統計ソフトの詳細
4. 有意水準

例

The gene-expression data were **non-normal continuous variables**. Therefore, a **Mann-Whitney test** (SPSS version 15.0; SPSS Inc., Chicago, IL) was used for inter-group comparison. The significance threshold was set at **0.05**.

- ❶ 統計的検定の名前 → Mann-Whitney test
- ❷ 次に述べられる検定の基準に沿ったデータの種類 → non-normal continuous variables
- ❸ ソフトと開発者の情報 → (SPSS version 15.0; SPSS Inc., Chicago, IL)
- ❹ 有意水準 → 0.05

（遺伝子発現データは非正規の連続変数であった。よって、グループ間の比較にはマン・ホイットニーの検定（SPSS version 15.0; SPSS Inc.、イリノイ州シカゴ）を用いた。有意性の閾値は0.05とした。）

問題にトライ　　　解答はp.274

次の文の問題点を指摘してください。

The correlation between radiological and clinical findings was analyzed using the Pearson product-moment correlation coefficient.

ミス81 倫理に関する情報の欠如

校正者の知恵！

● 倫理についてジャーナルが求める情報を確認すべし

　倫理に関する情報の記載漏れは、頻繁に起こるものではありませんが、ただちに掲載拒否につながる事案なので、ひとたび起これば一大事です。ジャーナルのガイドラインをよく読み、その分野や、出版される国での一般的な要求事項をよく確認してください。以下のチェックリストに加え、Appendixに収録したチェックリストも確認しましょう。

倫理に関する一般的チェックリスト

①動物実験
□ 関連当局（動物実験委員会などに相当する機関）からの実験許可について言及する。

> **例** The study was approved by the Institutional Animal Care and Use Committee of ABC University.
> （この研究は、ABC大学の動物保護と使用に関する委員会から承認された。）

②ヒトを対象とした実験
□ ヘルシンキ宣言のガイドラインに沿っているか、または関連当局（例 治験審査委員会、研究倫理委員会）から許可を得ているかを述べる。

□ とくに弱者、子供、意識のない患者、障害のある患者が関わる実験の場合は、各被験者（または法定後見人）から、実験に参加することに対するインフォームド・コンセントを事前に書面で取得しているかどうかにも触れる。

> **例** The Institutional Ethics Committee of the XYZ Cancer Center approved all experimental protocols. Written informed consent for this study was obtained from each patient.
> （XYZがんセンターの倫理委員会は、すべての実験プロトコルを承認した。各患者から、この研究に対する書面でのインフォームド・コンセントを取得した。）

③生態学的あるいは政治的にデリケートな地域が関係する実験

□ こうした地域で実験を行なうことについて、関連当局から許可を得ているかを述べる。

例 Permission to conduct this study was granted by the Yakushima Forest Environment Conservation Center, Forestry Agency of Japan.
(この研究は、日本の林野庁の屋久島森林生態系保全センターから実施許可を得た。)

■結果のミス

ミス82　実験方法が書いてあるのに結果が書かれていない

校正者の知恵！

- すべての実験の方法とそれに対応する結果があるかどうかを確認すべし

　このようなミスは、研究の主要な実験ではほとんど起こりません。しかし、材料と方法のセクションで補助的実験について述べたにもかかわらず、それに対応する結果を結果セクションで報告し忘れてしまうことがあるようです。逆に、とくに詳しく述べる必要がなさそうな方法で重要な結果が得られた場合、その方法に触れることなく結果を書いてしまうことがあります。

　結果が些末なものでもそうでなくても、このようなミスをすると、査読者からは否定的なコメントが出るでしょう。

　こうしたミスを避けるために、材料と方法のセクションを見直し、次の点を確認しましょう。

- あらゆる方法の結果が述べられているか。各結果がどのように得られたかが明確に述べられているか。
- 述べられているすべての方法や実験は、本当に必要なものか。結果が、自分で見すごすほど重要度の低いものであれば、おそらくその方法とあわせて論文から削除するのが賢明。あるいは補足情報として報告してもよい。

ミス83 データを無駄に記載する

校正者の知恵！
● 本文では個別のデータを示さず、まとめた結果を述べるべし

　経験の浅い著者は、本文で結果ではなくデータを報告してしまうというミスをします。両者の違いを理解するために、次の例を見てみましょう。

誤 The mean greenhouse temperatures noted on days 1, 2, 3, 4, and 5, respectively, were as follows: 20°C, 21.3°C, 21.8°C, 22.5°C, and 23.4°C under the experimental conditions and 19.1°C, 19.5°C, 20.1°C, 20.5°C, and 20.8°C under the control conditions ($p < 0.05$).

> データをそのまま記載している

（温室の平均気温は、1、2、3、4、5日目でそれぞれ次のとおりであった。実験条件下で20°C、21.3°C、21.8°C、22.5°C、23.4°C、また、対照条件下で19.1°C、19.5°C、20.1°C、20.5°C、20.8°C（$p < 0.05$）であった。）

正 The daily increase in the mean greenhouse temperature over the 5-day period was more significant under the experimental conditions than under the control conditions (0.85 ± 0.3 vs. 0.42 ± 0.2, $p < 0.05$).
（温室における5日間の平均気温の1日あたりの上昇は、対照条件下よりも実験条件下で有意に高かった（0.85 ± 0.3 vs. 0.42 ± 0.2, $p < 0.05$）。）

　本文中にデータが散らばっていると、観察結果がぼやけてしまいます。得られたローデータももちろん重要ですが、それについてくどくどと語ることは避けましょう。実験を行なった日の気温を個々に述べることに、何か意味があるでしょうか。正しい文では、比較の結論を述べることで、データに意味を与えています。1日ごとの温度の上昇は、対照条件下よりも、実験条件下で有意に高かった、という点が肝心なのです。元データは、図表で示すようにしましょう。本文で意味を示し、図表で補う、という形が望ましいです。

　関連するミスとして、結果セクションの本文や図表でデータが重複しているというものがあります。多くのジャーナルでは、スペースを節約する目的だけでなく、冗長になることで論文の見ばえが損なわれるとして、データの重複を避けるよう促しています。

ミス84 結果セクションに考察も書く

校正者の知恵!

- **考察は考察セクションで書き、結果セクションでは結果だけを述べるべし**

著者はときに、得られた結果や意義に心を奪われるあまり、結果セクションに結果以外のことまで書かずにいられなくなるようです。話題を掘り下げて、結果から類推されることや導かれることについて述べはじめてしまうのです。この衝動は抑えましょう。考察セクションにも同様の内容が含まれるので、繰り返しが多く構成が整っていないという印象を与えてしまうからです。

ジャーナルが結果と考察のセクションをまとめるよう求めていない限り、結果セクションに解釈を加えることは避け、結果と考察は切り離しておきましょう。たとえば、以下のように結果に続けて考察を述べてはいけません。

例

The daily increase in the mean greenhouse temperature over the 5-day period was more significant under the experimental conditions than under the control conditions (0.85 ± 0.3 vs. 0.42 ± 0.2, $p < 0.05$).
(温室における5日間の平均気温の1日あたりの上昇は、対照条件下よりも実験条件下で有意に高かった(0.85 ± 0.3 vs. 0.42 ± 0.2, $p < 0.05$)。)

以上の結果に次のような考察を続けないようにしましょう。

This suggests that ...
(これは…を示唆している)

These differences can be explained by ...
(これらの差は…によって説明できる)

These findings are consistent with those of Rich et al. ...
(これらの結果はRichほかの結果と一致している)

■考察のミス

　考察は、イントロダクションと同様、著者が執筆で重大なミスをおかしやすいセクションです。考察セクションでは、全体のメッセージを際立たせるための明晰な思考と、事実を論理的につなぎ合わせるスキルが求められるからです。
　また、考察セクションは、材料と方法のセクションと並んで、査読者からの否定的なコメントがもっとも多いところでもあります。

ミス85　先行研究について過剰に説明する

校正者の知恵！
- 考察では先行研究への言及は重要なものだけにとどめるべし

　考察では、研究結果と最新の知見を比較するため、いくつかの研究が引用されます。しかしながら、多くの著者が、必要不可欠な文献とそうでないものを区別するのに苦労しています。
　著者は次の落とし穴にはまりやすいようです。

●イントロダクションの繰り返しになる

　読者に研究の意図を思い出してもらうために、考察の最初の部分が多少イントロダクションと重複するのは仕方のないことです。しかし、考察が第2のイントロダクションのようにならないようにしましょう。繰り返しや再現でなく、あくまで内容を思い出させる程度の記述にとどめるべきです。

●得られた結果に関連する文献について過剰に論じる

　得られた結果について書く際、その1つ1つに対応する先行研究の詳細を不必要に説明することは避けてください。重要なポイントだけを簡潔にまとめましょう。考察では、情報を積み上げるのではなく、情報を統合することを目指してください。

ミス86 既知の情報に照らした考察が不十分

校正者の知恵!
- 研究結果が先行研究のなかでどう位置づけられるのかよく考えるべし

　論文執筆中に著者が直面する最大の壁は、研究結果が、すでに知られている知見のなかでどう位置づけられるのかについて、明快な解釈を与えることです。私たちがたびたび目にするのは、次のような問題です。

● 情報を解釈することなく、そのまま述べる

　ただ過去の研究結果を並べ、続けて自分の研究結果を述べるだけで、両者を適切に結びつけていないケースが多く見られます。研究結果が、既知の情報をどのように補足または発展させるのか、または過去の研究における空白をどのように埋めるのかを明示するのは、著者の務めです。

● 既知の事実と十分に照らし合わせず、結果だけを単独で考察する

　これはまれなケースですが、論文の制限語数が少ない場合に起こる可能性があります。得られた結果が、研究テーマに関する最新の知見とどのように関わるのかを説明しないと、先行研究の参照が不十分であるとみなされ、手抜き・ずさんという印象を与えてしまいます。

　ほとんどのジャーナルでは、原著論文に対して妥当な語数制限が設けられています。そのため、このミスが起きるのは、研究や結果の範囲にそぐわない、原著論文以外の形式で書いた場合でしょう。

　説明を省略するのではなく、簡潔に書くことで語数を減らすようにしましょう。それが難しい場合は、論文形式を再検討しましょう。

ミス87 結果の矛盾や研究の制約に関する考察が不十分

> **校正者の知恵！**
> ● 結果に対する疑問点をリストアップし、すべての疑問を解消すべし

　考察は、厳しい読者から指摘される可能性のある、あらゆる疑問に答えられるものでなくてはなりません。著者はなぜそれを発見したのか、もしあるとすればなぜ矛盾があるのか、なぜ別の方法をとらなかったのか（たとえば、なぜもっと一般的な方法を使わないのか、なぜ別の年齢層で調べないのか、など）といった疑問です。たいてい、こうした不明点は査読者から指摘されます。

　十分な考察を行なうための重要なポイントは、次のとおりです。

①矛盾について説明する

　得られた結果のなかで、ほかの部分から逸脱しているポイントや、自身の研究のなかで逆の結果が出た部分をすべて書き出します。それらに対し、率直で説得力のある説明を行ないましょう（例 実験の方法や標本が違った）。

②想定外の結果について説明する

　結果に、通常の想定とは逆の部分があったときは、それを隠したり、とるに足らないこととして扱ったりしないことです。理由をつけ加えることで、信頼性が高まります。

③研究の制限事項について説明する

　研究デザインの問題を査読者に指摘してもらおうとしないようにしましょう。制限事項について、率直に述べるようにしましょう（例 標本数が少ない、選択に偏りがある）。

　考察は、数多くの「なぜ」という問いに答えるものです。研究結果を厳しく見直し、気づいた疑問点をすべてリストアップしましょう。考察を書くときは、リストアップした疑問を1点1点つぶしていき、それ以上の疑問を差し挟む余地がないようにしましょう。

ミス88 結果をむやみに繰り返す

校正者の知恵!

- 結果を繰り返さないために、結果と考察をくらべて確認すべし

考察セクションは、結果を解釈する場です。解釈する際、結果にもう一度触れるのは当然ですが、詳しく説明しすぎることで、以下のようにあたかも結果セクションの繰り返しのように書くことは避けましょう。

避けるべき 〔結果セクションの繰り返しになっている〕

We found that the success rate of treatment ABC was 32% in group X and 74% in group Y. This is because ...,
(治療ABCの成功率がグループXで32％、グループYで74％だったことがわかった。なぜなら…)

好ましい Treatment ABC was more effective in group X than in group Y because ...,
(治療ABCは、グループYよりもグループXにより効果的だった。なぜなら…)

好ましい Patients in group X responded better to treatment ABC than those in group Y because ...
(グループXの患者は、グループYの患者よりも、治療ABCによりよい反応を示した。なぜなら…)

Column　考察で結果を繰り返さないための方法

結果をむやみに繰り返さないようにするための1つの方法として、ファイル（またはプリントアウト）を2つ用意します。1つには結果だけ、もう1つには考察だけを書き、それらを並べます。そして、結果を書いたファイルを読み、それについてどのように考察したかを、もう1つのファイルで確認しましょう。これは、くどいと感じる文章を見つけるための手軽な方法です。

ミス89 話の進め方がわかりにくい

校正者の知恵!

- 論理的な考察を書くために、伝えたい内容を整理してから書くべし

よい考察を書くためには、整合性と一貫性が欠かせません。方法と結果のセクションのように、考察もまた、研究をはじめる前に検討したリサーチ・クエスチョンとの関連がわかるものでなければなりません。考察は、得られた結果同士のつながりを示すものだからです。流れが破綻している考察に共通する点と対処法は次のとおりです。

● **主張が不明瞭**

個々の結果や解釈がどのように組み合わさるのかを理解していなければ、明快で整合性のある考察を書くことはできません。執筆作業は退屈かもしれませんが、十分な時間をかけて執筆の土台となるアウトラインやフローチャートを作ってから、考察の執筆にとり組むようにしましょう。

● **順序が不適切**

考察の順序がちぐはぐだと、読者の興味をかきたてることはできません。考察の話をどのように進めるべきかという基準はありませんが、結果セクションと同じように、まずは主要な結果から書きはじめ、それから重要度の高い順に述べていくのがよいでしょう。

● **アイデア間の関係性がわかりにくい**

順序だった考察でも、アイデアとアイデアの関係性が明確でなければ、読み手に強い印象を残すことはできません。話の筋道を明確にして、それにしたがった段落構成に整えましょう。段落間のつながりや根拠を示す文・句を使って、テーマをわかりやすく提示しましょう。

ミス90 研究結果の意義が曖昧

校正者の知恵!

● 研究結果がどのように役立つのかを考えて考察を書くべし

　研究デザインがどれほどしっかりしていて、結果にどれだけ新奇性があろうとも、それだけでは研究の重要性は伝わりません。研究それ自体が目的ということはないはずなので、あなたの論文が出版に値するものであることをジャーナルに納得させるために、その論文にどのような意義があり、その分野にどのような活路を開きうるのかを説明する必要があります。

　たとえば、ある地域で、異なる種類の樹木のさまざまな形の種子について調べ、それらがどのように飛散するのかを研究したとします。「研究結果は、それらの樹木に関する既存の文献における未知の事柄である」と論じるだけでは、不十分です。この場合、ほかに何を論じればよいのでしょうか。

● **研究の必要性と、結果からわかった研究意義とのつながり**

　研究でわかったことの意義が、イントロダクションで述べた研究を行なう必要性とどのように結びつくか。

● **関連現象への適用**

　得られた結果を用いて、そのほかの関連現象について説明できるかどうか（例 立木密度における時間的／空間的変化といった環境生態学に言及できるかどうか）。

● **現実場面への応用の可能性**

　結果にもとづいて、何らかの実践的な指標が得られたかどうか（例 生物多様性保護に関する指標は得られたか）。

　結果が、何らかの事業や政策の参考になるかどうか（例 林業や農業に関する業務や政策の参考になるか）。

以降で紹介するミスは、分析結果ではなく私たちの経験にもとづくものです。よってこれらのミスには頻度を示していません。

■ **図表のミス**

ミス91 図表タイトルが曖昧

頻 no data
重

校正者の知恵！

- 図表タイトルにも論文のタイトルと同様に具体的なタイトルをつけるべし

図表は、本文を見なくても理解できるように作らなくてはなりません。したがって、図表タイトルは、論文タイトルと同じように、明確で具体的なものにする必要があります。すでに説明した論文タイトルについてのガイドラインは、図表にもあてはまります。

タイトルの情報量が不十分

避けるべき Effects of antibiotics on *Salmonella typhimurium*
（サルモネラ・チフィムリウムに対する抗生物質の効果）

好ましい Comparative resistance of *Salmonella typhimurium* to chloramphenicol, azithromycin, and ceftriaxone, measured as the minimum inhibitory concentration
（最小発育阻止濃度として測定されたクロラムフェニコール、アジスロマイシン、セフトリアキソンに対するサルモネラ・チフィムリウムの抵抗性の比較）

避けるべき例のように、漠然としたタイトルは好ましくありません。何の図表であるかがわかるよう具体的なタイトルをつけましょう。

問題にトライ

解答はp.274

次のうち、図のタイトルとしてふさわしいものはどれでしょうか。

① Prevalence of depression in adolescents aged 13 to 18 who have either environmental or psychosocial risk factors in three prefectures in Japan

② Depression rate in adolescents in Japan

③ Prevalence of depression in adolescents with environmental or psychosocial risk factors in three prefectures in Japan

ミス92 ラベルや行列見出しの漏れや間違い

校正者の知恵!

● 図の軸ラベルや行列見出しが欠けていないかチェックすべし

　図のX軸ラベル・Y軸ラベルや表の行列の見出しは、いずれも図表には欠かせないものです。用語が不適切だったり、ラベルや見出しが省略されていたりすると、図表が無意味なものになってしまいます。次の図はどこがおかしいでしょうか。

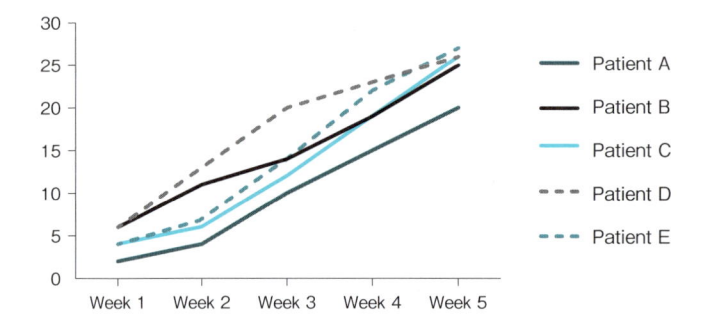

Improvement in arm movement following physiotherapy in patients with stroke
（脳卒中患者における、理学療法後の腕の動きの改善）

　この図で、腕の動きの改善度がどのように測定されたかわかるでしょうか。患者が課題をうまくこなした回数でしょうか。あるいは別のパラメータでしょうか。Y軸のラベルがないため、わかりませんね。この点を明らかにするためには、Y軸ラベルとしてRange of motion (mm)（可動域（mm））が必要です。

ミス93 図表に必要な情報が欠落している

校正者の知恵!

● 省略符号や注などのつけ忘れに注意すべし

情報の欠落は、読者を大いに混乱させます。次の表を見てみましょう。

Number of recorded sightings of the forest owlet over 1990–2010

	1990	1995	2000	2005	2010
Site A-3	54	55	50	43	39
Site B-2	37*	28	22	15	
Site F-1	55		56	50	47
Site D-2	43	38	34	24	18

数値の入っていない2つの空欄は、鳥の目撃例がなかったという意味でしょうか。もしくは、信頼性のある、報告すべきデータがなかったという意味でしょうか。

鳥の目撃例がなかったのなら、空欄には0を入れる必要があります。調査を行なわなかったためにあえて空欄にしている場合は、省略符号(―)かNA(Not Applicable、またはNot Availableの略)を記入する必要があります。

また、著者はSite B-2の1990年のデータである37という数値にアステリスク(*)をつけていますが、それに対応する注がありません。著者は、この数値について何を説明しようとしたのでしょうか。正しい表の例は、次のとおりです。

Number of recorded sightings of the forest owlet over 1990–2010
(1990〜2010年における森フクロウの目撃回数の記録)

	1990	1995	2000	2005	2010
Site A-3	54	55	50	43	39
Site B-2	37*	28	22	15	0
Site F-1	55	NA	56	50	47
Site D-2	43	38	34	24	18

＊ Data available for only September through December (9月から12月のデータのみ)

図でも、グラフ上のラインやバーがどのグループ・要素を指しているのかを必ず説明するようにしてください。

ミス94 不要な図表がある

> **校正者の知恵!**
> - その図表が本当に必要かどうかを見極めるべし

論文中に無駄に図表を入れるのはやめましょう。たとえば、ある情報を簡潔な1文で伝えられるのなら、その図表は不要ということです。

Symptoms of diabetes in high-risk patients with hypertension
(高血圧の高リスク患者における糖尿病の症状)

	Polyphagia (過食)	Polydipsia (多飲)
Patient A	+	+
Patient B	+	−
Patient C	+	−
Patient D	+	+
Patient E	+	+
Patient F	−	+
Patient G	+	+
Patient H	+	+

上の表は個々の患者に過食か多飲の症状が見られたかどうかを示していますが、わざわざ表で示すほど複雑な結果ではなく、次の1文に簡潔にまとめられます。

例
Of the eight patients, only one did not report polyphagia (Patient F) and two did not report polydipsia (Patients B and C).
(8名の患者のうち、過食が見られなかったのは1名のみ(患者F)で、多飲が見られなかったのは2名(患者BとC)である。)

したがって、上の表は削除可能です。このような不要な図表を論文に掲載しないようにしましょう。

ミス95　図の凡例が不完全

校正者の知恵！

● **抜け落ちがちな図の凡例をチェックすべし**

図によっては、見出しだけでなく凡例が必要な場合があります。本文から独立した図を読者に理解してもらうために、重要かつ詳細な説明を示すためです。

説明が抜け落ちやすいものは、次のとおりです。

- 図中で使われている略語の説明
- 写真の縮尺（例 植物や昆虫の組織、あるいは岩石の標本の画像）
- 倍率（例 顕微鏡画像）
- 図中の個々のパネルの説明
- 異なる項目を示すために使われている色や記号（例 矢印、黒丸、白丸）の説明
- （図の理解に必要な場合は）画像の入手方法や実施手順に関する簡単な説明

■フォーマットとレイアウトのミス

　原稿のレイアウトやフォーマットについては、ジャーナルのガイドラインをよく確認しましょう。ジャーナルによって、原稿用のテンプレートを用意するなどして具体的に指定しているところもあれば、ガイドラインに基本事項を載せているだけのものもあります。

　フォーマットに関するミスは重大なものではありませんが、論文の見ばえを損なうことがあります。この項では、ジャーナル別のミスではなく、一般的なミスを見ていきましょう。

ミス96　フォーマットに統一性がない

頻 no data
重 ─

校正者の知恵！

● 論文全体にわたってフォーマットの統一性をチェックすべし

　原稿全体をとおしてスタイルが一貫していると、全体の体裁が整い、論文にプロフェッショナルな雰囲気が漂います。原稿のフォーマットに統一性が欠けていることはよくありますが、これはそれほど労力をかけずに修正することが可能です。

　以下に、もっとも問題となる点を挙げます。これらは、投稿予定のジャーナルでこうした点が規定されていないと仮定した場合の一般的なアドバイスです。

● フォントの種類と文字サイズが統一されていない

　フォントは慣例的に使われているTimes New RomanやArialなどを使い、本文の文字サイズは10〜12ポイントにしましょう。記号や特殊文字や用語をほかの資料からコピー＆ペーストすると、別のフォントが混ざり込んでしまうことがあります。本文全体を選択して、望ましいフォントとサイズを適用しましょう。

　また、タイトルページ、謝辞（Acknowledgments）、参考文献（References）、図表の凡例といったその他のセクションも同じフォントになっているか確認しましょう。

● 見出しのスタイルが統一されていない

　見出しに番号をふるときは、番号の順序が乱れたり、番号が抜けたりしないようにしましょう。また、同じ階層の見出しのフォントやサイズ、大文字小文字の区別が統

一されるようにしましょう。

例 同じ階層の見出しは、以下のようにフォントなどをそろえます。
1. INTRODUCTION、2. MATERIALS AND METHODS
2.1 *Animals used*、2.5 *Statistical analysis*

●行間やインデントが統一されていない

たいていのジャーナルは、行間をダブルスペースと指定しています。本文全体を選択し、このスタイルを全体に適用しましょう。インデント幅にも注意してください。インデントしないのか、最初の行のみインデントするのか、インデントの単位（1 cm、0.5 inchなど）はどうするのかなどに注意が必要です。

●不適切で一貫性のないページレイアウト

とくに指定がなければ、慣例的なレイアウトにしたがってください。ページサイズはA4、余白は全辺1インチ（2.54 cm）まで、向きは縦長などです。

Column ワープロソフトでのフォーマット統一

余白、ページの向き、行間、インデントといったフォーマットの不統一は、ほとんどの場合、原稿を「すべて選択」して希望のスタイルを適用すれば、簡単に修正することができます。タイトルや、違う階層の見出しに別々のスタイルを適用する場合も、Microsoft Wordなら「スタイル」の設定や、原稿全体を見渡す「ナビゲーションウィンドウ」を使うことで、簡単にフォントを整えることができます。ソフトの機能をよく知って、活用しましょう。

ミス97 欧文以外のフォントが使われている

校正者の知恵！

- 和文フォントが混在しないよう記号類のフォントに注意すべし

原稿に、MS明朝など、和文フォントの全角の記号や文字が混ざっていることがあります。この場合、本文のほかの部分から浮いて見えるだけでなく、その記号や文字の周囲のスペースが広くなるため、不自然で、見ばえが損なわれます。

> 全角文字が混ざっている

誤 Severe gliosis（grade 1+）were observed in 5, 12, and 7 cases in groups Ⅰ, Ⅱ, and Ⅲ, respectively（Table 4）. In 41 of the 100 cases in which no lesions were present, the gliosis and neuronal loss were observed in the same location（Table 6）.

正 Severe gliosis (grade 1+) were observed in 5, 12, and 7 cases in groups I, II, and III, respectively (Table 4). In 41 of the 100 cases in which no lesions were present, the gliosis and neuronal loss were observed in the same location (Table 6).
（重度の神経膠症（グレード1+）が、グループI、II、IIIでそれぞれ5、12、7例確認された（表4）。障害の見られない100例中41例で、同じ部位に神経膠症やニューロンの喪失が確認された（表6）。）

上の例では、パーレン（丸カッコ）とローマ数字のまわりの余白が不自然なのがわかりますね。これらの部分だけ全角の記号や文字を使用しているために、このような問題が発生します。記号も含め本文全体で同じフォントを使うようにしましょう。

2 論文の構成と体裁に関するミス

ミス98 正しい記号や文字を使っていない

頻 no data
重 ―

校正者の知恵!

- 記号や文字を別の文字や記号類で代用せず、正しいものを使うべし

学術論文では多くの記号が使われますが、著者がそれらを正しく使用していないことがあります。たとえば、度数を示す記号（°）の代わりに、上つきのオー（º）や、上つきの数字のゼロ（⁰）が使われていることがあります。誤った記号を使用していると、組版（原稿をジャーナルのフォーマットにしたがってページに配置すること）の段階で問題が起こる場合があります。たとえば、もとの論文に適用されていた書式が解除されると、度数の記号がo（オー）や0（ゼロ）になってしまうことがあります。以下に、よく間違って使われる記号類や文字を挙げておきました。

誤って代用される記号や文字	正しい表記
º（上つきのオー）、⁰（上つきのゼロ）	°（度）
x（小文字のエックス）	×（乗算記号）
u（小文字のユー）	µ（マイクロ）
B（大文字のビー）、k（小文字のケー）	β（ギリシャ文字のベータ）、κ（ギリシャ文字のカッパ）
'（アポストロフィ）	′（プライム）
1（数字のイチ）	l（「リットル」を示す小文字のエル）

ここに挙げた正しい記号はすべてワープロソフトの記号一覧に含まれています。

ミス99 参考文献リストのミス

頻 no data
重 —

校正者の知恵！

- 些細なことと思わずに参考文献のリストもしっかりチェックすべし

　無料で使えるさまざまな文献管理ソフトは、参考文献を整理するときの手間を大幅に省いてくれます。しかし、ソフトを使う場合も使わない場合も、以下のミスが起きないよう十分に注意する必要があります。

●本文中の引用と参考文献リストが一致していない

　このミスは、Skinner (1957) のように、著者名と発行年を挙げる引用スタイルを使うときに起こりがちです。本文中の著者名と年号が、参考文献リストに記載したものと一致していなければなりません。さらに、参考文献の追加や削除を行なう場合は、本文と参考文献リストの両方で作業するのを忘れないようにしましょう。本文中で引用した参考文献は、すべて参考文献リストに含めてください。逆に、参考文献リストに記載したものは、すべて引用されていなければなりません。

●参考文献リストが不正確

　このミスは、参考文献を手作業で追加したときに起こりがちです。よくあるミスは次のとおりです。
- 著者名のつづりやイニシャルを間違える
- 引用箇所のページ番号を間違える
- ジャーナル名の略称を間違える
- 情報が抜けている（発行年、巻数など）

●ジャーナルが指定するスタイルにしたがっていない

　参考文献の書き方は、ジャーナルによって規定が大きく異なります。ほとんどのジャーナルは、著者が規定のスタイルを守っているかどうかを厳しくチェックします。守られていない場合はただちにリジェクトする、と警告しているジャーナルもあります。このように、本質的ではなく些細とも思える理由で原稿がリジェクトされ、膨大な時間が無駄になる可能性もあるのです。ジャーナルが指定しているスタイルに沿っているかどうか、じっくり確認しましょう。

Chapter 3

論文を書き終えたら

原稿が書き上がれば、研究成果の発表に向けた作業の大部分は完了したも同然です。この後の作業にも、執筆の準備や執筆そのものと同じように手際よくとり組んでいきましょう。この時点で浮上してくる疑問には、次のようなものがあります。

- 投稿の準備は万全か。出版の国際的水準に合わせるための追加作業は必要ないか。
- 投稿パッケージには何を含めるべきか。
- 投稿後の進捗状況はどう確かめればいいか。
- いつ、どのようにジャーナルと連絡をとるべきか。
- 研究者としての自分の露出度や知名度を高めるために、どのようなツールを使えばいいのか。

この章では、こうしたあらゆる疑問の声に答え、執筆後の作業を賢く進めるための実践的なコツを伝授します。エディテージのインタビューでジャーナル編集者たちが教えてくれた、ちょっとしたアドバイスもあわせて紹介します。

1 英文校正・翻訳サービスを使う

■なぜ英文校正・翻訳サービスを使うのか

英語を母語としない研究者がキャリアを積む上で、評価の高い国際的な英文ジャーナルで論文を発表することの重要性はますます高まっています。しかし、思うように使いこなせない言語でコミュニケーションをとるのは気が重いものです。かといって、多忙な研究者が英語を上達させる時間をとることも現実的ではありません。

ジャーナル側としても、論文がつたない文章で書かれていると不都合が生じます。ジャーナルには多くの論文が投稿されるので、とるに足らない平凡な研究のなかから意義のある優れた研究を選び出すのは、ただでさえ大変な作業です。文章レベルにバラつきがあると、その大変な作業がさらに煩雑になります。論文が読みにくいと査読に余計な時間がかかり、査読者の貴重な時間が奪われてしまいます。そのため、文章の質が低い論文は、査読に進むことなくただちにリジェクトされる可能性が高くなります。

ジャーナル編集者の言葉

ブルース・ダンシック博士 Dr. Bruce Dancik
*NRC Research Press／Canadian Science Publishing*編集長、
アルバータ大学再生可能資源学部名誉教授

原稿は読みやすく、簡潔明瞭でなければなりません。また、一定のレベルを保った英語で書かれている必要があります。査読者の時間は大変貴重です。彼らは世界中の編集者から査読依頼を受けているため、限られた時間しかとれません。タイプミスや文法の破綻も、査読者を悩ませます。彼らをわずらわせないような配慮が必要でしょう。

原稿のブラッシュアップを助けてくれる英語圏出身の同僚がいない場合は、以下のいずれかの手段をとることになるでしょう。

- 英語で原稿を書き、英文校正会社に校正を依頼する。これは、多くのジャーナルも推奨している方法です。
- 日本語で原稿を書き、翻訳会社に英文への翻訳を依頼する。

こういったサービスを利用したからといって、アクセプトが保証されるわけではありません。論文は、あくまでもその論文の質にもとづいて判定されるからです。とはいえ、投稿前に原稿の校正をしてもらうことで、少なくとも「英語に難があるかもしれない」という心配はなくなり、研究の質という観点から公正な評価を受けることができるでしょう。

■英文校正サービスの上手な使い方

私たち校正会社は、何を依頼すべきかがわかっていない人や、校正サービスを初めて使う人に出会う一方で、自身がしてほしいことをよく理解し、効率よく進める方法を知っている人たちにも出会ってきました。多くの場合、専門的な校正サービスには、ある程度まとまった費用がかかるものです。また、校正作業の品質が、ジャーナルから論文をアクセプトされるまでの時間に影響を及ぼすこともあります。

さまざまなタイプのユーザーに対応した経験をもとに、著者が校正サービスをうまく使うためのポイントを紹介します。

● どの程度の校正が必要かを見極める

　基本的な文法チェックだけでよいのか、文構造やスタイルまで含めた徹底的なチェックが必要なのか、それとも英語だけでなく内容の見せ方についてのチェックも必要なのか、といったことをはっきりさせましょう。提供する校正レベルは校正会社によって異なり、1つの会社でもさまざまなレベルの校正サービスを提供しているため、チェック内容をはっきりさせることが重要です。

　校正会社を選ぶ際は、上記のようなチェック内容に対応しているかどうか、サービス内容が自分のニーズにマッチしているかどうかを確認した上で判断しましょう。誤った選択をしてしまうと、再校正を依頼することになったり、別の校正会社を探すはめになったりして無用なコストがかかる上、時間も無駄にしてしまいます。校正会社のホームページには、校正原稿の見本が紹介されているはずなので、その確認も含め、サービス内容をよく吟味しましょう。原稿の一部を使ってサービスを試してみるのもよいでしょう。

● できるだけ整った原稿を送る

　校正者の仕事は、言いまわしを修正したりブラッシュアップしたりすることですが、そのためには、もとの文章の意味が理解できなければなりません。校正者たちは厳しい納期のなかで作業しており、経験豊富で意欲的な校正者も、1つの論文には一定の時間しか割くことができません。

　依頼者側でほんの少しだけ気をつけることによって、校正者はよりよい仕事ができるようになります。著者として、何ができるでしょうか。

　まずは、センテンスが完結していて、「主語・動詞・目的語」というシンプルな構造が守られているかどうかを念入りに確認しましょう。また、注意深く見直し、スペースの抜けや余分なスペースの挿入、フォーマット、レイアウト、基本的な用語の不統一がないようにしましょう。こうすることで、校正者は原稿の意図を汲みとりやすくなり、単語のチョイスや文構造といった、著者にとって対応の難しい部分のチェックに集中してとり組めるようになります。

● 十分な情報を提供する

　効果的な校正を行なってもらうために、校正者には必要な情報をすべて提供しましょう。たとえば、原稿をどんな形式でまとめるつもりか、といったことです（例　原著論文、短報、編集者宛てのレター、ケースレポートなど）。ターゲットジャーナルの指定するフォーマットに整えることを依頼する場合は、ジャーナル名を伝えま

しょう。

　フォーマットの整理を依頼しない場合も、アブストラクトや本文の制限語数を伝えておけば、校正者はその制限を超えないように作業します。そうすれば、著者の投稿前の確認作業も楽になりますね。

● 質問をする

　よい校正会社なら、校正原稿について著者からどのような疑問を受けても答えられるような、盤石の体制を整えています。この仕組みを利用して、変更箇所に関する不明点を明らかにし、校正者から学びましょう。きっと、将来の執筆にも役立つはずです。

● フィードバックを与える

　校正者は著者から学べることに感謝しており、どのようなフィードバックもありがたく受け止めます。フィードバックによって、さらによいサービスを著者に還元することができるからです。ですから、たとえば校正者がある文章を誤って修正していると感じたり、専門分野の習慣にそぐわないまとめ方をしていると思ったりしたら、校正者に伝えましょう。

　校正者側に合理的な根拠があれば、なぜその変更が重要なのかを説明してくれます。あるいは、受けとったフィードバックにもとづいて、書き換えた代案が提示されるかもしれません。校正者はフィードバックをふまえながら、それ以降の作業にとり組むようになります。

　ポジティブなフィードバックも、ぜひ届けてください。校正者にどの部分が気に入ったかを伝えれば、その校正者は、また満足してもらえるように、いっそう張り切って校正作業にあたるはずです。

● 投稿前に校正者のメモやコメントを確認する

　校正者は、曖昧な句や文章にしるしをつけて懸念を示したり、意味を明確にするよう促したり、データの抜けや不一致などを指摘したりすることがよくあります。このような場合は、校正者に回答を伝えて適切な解決策を示してもらうか、可能であれば自分で修正しましょう。

　校正者との関係性を取り引きではなく、共同作業と捉えるとよいでしょう。校正者に見直してもらうことによって、原稿の質が上がります。校正者のコメントを無視すれば、ジャーナルの編集者や査読者に、同じ問題を指摘されることになってしまいます。

■翻訳サービスの上手な使い方

「日本語から英語に翻訳してもらうより、最初から英語で書いたものを校正してもらうほうがよい」と考える人が多いようですが、そのように考える最大の理由は、翻訳に特有の問題を避けるためでしょう。

ジャーナル編集者の言葉

クリスティアン・シュテルケン博士 Dr. Christiaan Sterken
Scientific Writing for Young Astronomers（『若手天文学者のための科学論文の書き方』）の著者、天文分野のオープンアクセス・オンライン・ジャーナルThe Journal of Astronomical Dataの共同創刊者／編集者

決して、母語で論文を書いてからそれを翻訳する、という方法はとらないでください。直接英語で書き、後で文法を直すのが賢いやり方です。

最初から英語で書けば、翻訳段階で「内容に関する間違いが紛れ込む」という問題は、ほぼ回避できます。しかしながら、英語を書くことにまったく自信がないという著者や、慣れ親しんだ言葉で原稿を準備して時間を大幅に節約したいと考える著者にとって、翻訳サービスは欠かせないものです。

校正のケースと同様、重要なのは翻訳者のスキルと経験ですが、望む結果に近い成果物を受けとるためには、著者が用意する情報も重要です。そのまま出版できるような成果物を得るために、著者はどうすればよいのでしょうか。

●用語集を準備する

単純に翻訳できる専門用語もありますが、翻訳者の傾向と、提供された原文の明快さによって違いが出る用語もあります。こうした違いは、些細なものから（たとえば「薬にかかった費用（expenditure incurred on drugs）」と「薬代（drug expenditure）」）、大きなものまで（たとえば「角膜の屈折力の測定（measurement of corneal refractive power）」と「角膜曲率測定（keratometry）」）、さまざまです。

専門用語が自分の好むとおりに訳され、分野で使われる用法にしたがって訳されるように、もとの単語と希望の訳語を併記した用語集を提供しましょう。そうすれば翻訳者は、用語集の指示どおりに翻訳を進めます。

著者が希望する訳語が、不適切で不正確だと翻訳者が感じた場合は、よりふさわしい代案を示すこともあります。そのような場合は、示された代案について慎重に検討

しましょう。

●適切なファイル形式で原稿を用意する

　翻訳にかかる時間は、ファイル形式によっても異なります。Microsoft Wordは、もっとも翻訳に適した原稿ファイルの形式です。翻訳者は1つのファイル内でそのまま翻訳作業ができ、複雑な図表を再現する必要がないので、ミスの発生も少なくなります。

　もとの原稿ファイルがPDF形式だと、翻訳者は別のファイル（Microsoft Wordが多い）で訳文を作成しなければなりません。この場合、翻訳にかかる時間が増えるだけでなく、原文の見落としが起こりやすくなります。

　また、図版や画像はほかのファイル形式では再現しにくいので、それらに含まれる言葉をどのように翻訳したかを示す説明を加える必要が生じます。そうなると、翻訳作業全体の時間が延びることになります。

●指示や参照先を明確に伝える

　原文の特定の箇所を翻訳対象外とする場合や、別途対応が必要な場合は、そのことをあらかじめ翻訳者に伝えておきましょう。たとえば、PowerPointのファイルに発表者のメモが含まれていることがありますが、その翻訳が必要かどうかを伝えてください。

　また、論文のテーマからやや逸れた文章（エピグラフ等）の翻訳が必要な場合もあります。このような場合は、正確を期して英語の原典を参照する必要があるかどうかを、翻訳者に伝えてください。これは翻訳者に依頼しても問題ない作業ですが、作業時間が余計にかかり、案件全体の完了が延びる場合があることを忘れないようにしましょう。

●見直しの時間を織り込んでおく

　どのような翻訳プロセスにも、反復作業がつきものです。期待する水準に到達するまでには、何度も何度も見直す必要があります。翻訳サービスを使うメリットの1つは、英語で論文を書く時間を節約できることですが、自分で翻訳を見直し、翻訳者が再度チェックを行なうための時間を考慮に入れておくことが重要です。以下の事柄を頭に入れておきましょう。

- ジャーナルへの投稿日から逆算して、少なくとも数か月前には翻訳を依頼しましょう。また、翻訳者に投稿予定日を伝えましょう。

- 完成原稿を徹底的に見直す時間をとり、納得のいかない箇所や修正してほしい箇所にしるしをつけましょう。
- 論文全体の質に自信がないときは、その懸念を翻訳者に伝え、全体を見直してほしい理由を説明しましょう。論文の特定の箇所に自信が持てない場合は、その部分を入念にチェックするよう翻訳者に伝えましょう。翻訳者に、自分の望むことを正確に伝えることが重要です。

2 投稿パッケージの準備

■ ケーススタディ

ミス100 投稿パッケージが不完全

校正者の知恵！
投稿するジャーナルごとに何を送るべきかをチェックすべし

臨床心理士、宮崎氏の場合

> 臨床心理士の宮崎氏は、あるジャーナルから論文をリジェクトされたばかりで、同じ分野の別のジャーナルに投稿する準備を進めています。カバーレターは、前回のジャーナルに送ったものを使い、ジャーナル名やジャーナル編集者の名前などの基本情報だけを書き換えました。そのカバーレターとともに、2つ目のジャーナルに原稿を投稿しました。
>
> 初回判定後、ジャーナルから論文が送り返されてきました。その理由は、カバーレターに宣誓文が含まれておらず、ジャーナルが規定するその他の情報も含まれていないというものでした。また、原稿も、ジャーナルの指定するテンプレートにしたがった書式設定になっていませんでした。
>
> 宮崎氏はなぜこのようなミスが起こったのかを悟ります。最初に投稿したジャーナルでは、宣誓書はオンライン投稿システムで別途送るよう指定されていたので、カバーレターにはそれについて何も書く必要がありませんでした。すぐに投稿したいと焦るあまり、彼は2つ目のジャーナルの要求事項をチェックすることを怠り、カバーレターを適切に書き直さなかったのです。それだけでなく、2つのジャーナルが指定する論文構成には大きな違いがなかったので、ジャーナル指定のテンプレートを使う必要はないと思い込んでいました。

宮崎氏のミスは決して珍しいものではありません。続けて複数のジャーナルに投稿しなければならない状況はよくあります。ごく大雑把な言い方をすれば、ジャーナルへの論文投稿とは、ジャーナルのガイドラインと要求事項を注意深く確認する作業でもあります。多くのジャーナルは、著者のための投稿チェックリストを用意しています。すべての要求事項を満たしていることをよく確認しましょう。

● **一般的な投稿パッケージに含まれるもの**

ジャーナル編集者は、判定プロセスの迅速化のために、投稿パッケージの要となるいくつかの要素をチェックすることが多いようです。一般的な投稿パッケージには、以下のファイルが含まれます（パッケージの内容は、ジャーナルや投稿方法によって異なります）。

● **カバーレター**

これは、ジャーナル編集者が投稿パッケージで最初に目にするものです。よって、論文をしっかりアピールするものでなくてはなりません。カバーレターに関するジャーナル独自の規定がないかをチェックし、必要な情報がすべて記載されていることを確認しましょう。次のページにカバーレターのサンプルを掲載しましたので、カバーレターにはどのような情報を載せるべきかの参考にしてください。

● **原稿**

ジャーナル編集者は、カバーレターをチェックしたら、今度は論文そのものを見ます。完成原稿が漏れなくそろっていることを確認し、抜け落ちているものがないようにしましょう（例 ランニング・タイトル（欄外の見出し）、キーワード、謝辞など）。

そして、細部にまで気を配りましょう。全ページにわたって、指定のレイアウトとフォーマットが忠実に守られているかチェックし、参考文献リストに漏れがないか確認してください。文法チェックとスペルチェックも行ないましょう。ジャーナルが特定のファイル形式を指定しているかどうかも確認してください。内容とは関係のない部分でジャーナル編集者の手をわずらわせることがないようにしましょう。

● **タイトルと著者情報のみを記載した別紙**

これは通常、著者名を伏せて査読を行なうために必要とされるものです。論文タイトル、著者名、所属先を記入します（この場合、本文ファイルには著者を特定できるような情報を含めないのが一般的です）。

● **倫理関係の書類**

被験者から書面で受けとったインフォームド・コンセントのコピーや、倫理審査委員会から取得した動物実験に対する承認書のコピーなどです。

● **図表などを転載する場合の使用許諾書**

著作物から図表等の素材を複製または加工して転載する場合、もとの著作物の著作権保持者から使用許諾を得る必要があります。

さらに、以下の書類やファイルも必要です。

- 利益相反の開示に関する書類
- 図表のソースファイル
- 付録・補遺など、補足的情報のファイル
- 各著者の貢献について述べた書類（コントリビューターシップフォーム）

Appendixに論文投稿時のチェックリストを掲載していますので、こちらも参考にしてください。

ジャーナル編集者の言葉

ブルース・ダンシック博士 Dr. Bruce Dancik
*NRC Research Press／Canadian Science Publishing*編集長、アルバータ大学再生可能資源学部名誉教授

オンラインジャーナルであれ冊子体のジャーナルであれ、そのジャーナルに投稿する理由を、編集者に率直に伝えることが肝心です。著者の立場になるとついそのことを忘れがちですが、編集者にとっては、著者の投稿の動機が、論文に興味を持つきっかけになることがよくあります。著者は、カバーレターの細部にまで気を配り、改善に努める必要があるでしょう。この段階では、編集者はまだ論文を読んでおらず、さっと目をとおす程度です。原稿が査読に進められるか、即座に却下されるかは、ここがわかれ目です。

カバーレターの例

November 25, 2015（提出日）
Dr. Thomas Webster（ジャーナル編集者の氏名）
Editor-in-Chief（ジャーナル編集者の肩書き）
Pediatric Dentistry（ジャーナル名）

Dear Dr. Webster:（適切な敬称を添える。名前が不明な場合はTo the editors（担当編集者様）とする）

どのジャーナルにどんな形式でどんな論文タイトルで投稿するかを書く　　論文タイトルは太字

My colleagues and I would like to submit the manuscript entitled "**Effect of antineoplastic agent cyclophosphamide on premolar root development**" for publication in the journal *Pediatric Dentistry* as an original article.

Antineoplastic agents such as cyclophosphamide, which are widely used to treat pediatric patients with cancer, are known to adversely affect tooth root formation. However, the underlying mechanism has not yet been identified. We examined cyclophosphamide-induced histological changes at different stages of root formation in mice to understand how this drug exerts its effect.

Our study may be the first to offer direct evidence suggesting that the extent of cyclophosphamide-induced damage depends on the age at which the drug is administered. Mice administered cychlophosphamide on postnatal days 12 and 14 showed greater damage to the epithelial root sheath and greater osteodentin formation than mice treated on postnatal day 18. Our results indicated that this is likely due to the severe damage to the proliferating stem cells in the epithelial root sheath in early stages of growth.

We believe that these findings may provide new insight into the developmental biology of the tooth root and are therefore relevant to the scope of your journal.

Please consider as potential referees, Dr. Paul Smith and Dr. Taylor.

This manuscript has not been published or presented elsewhere in part or in entirety, and is not under consideration by another journal. All the authors have approved the submission of this manuscript to your journal. There are no conflicts of interest to declare.

Dr. Zhang, second author on the manuscript, is on the Editional Board of *Pediatric Dentistry* and works for LMN, a manufacturer of cyclophosphamide. （当論文の第2著者チャン博士は*Pediatric Dentistry*誌の編集委員であり、シクロ

ホスファミドの製造元であるLMN社に勤務しています。）

利益相反に関する報告事項を別紙で述べる場合（There are no conflicts of interest to declare.を以下に置き換える）
Details about competing interests are provided separately.（利益相反にあたる事項については、別紙で申し述べます。）

I look forward to hearing from you soon.

Sincerely,

代表著者の氏名、所属先、連絡先を書く

Dr. XYZ
Department [Division/Faculty] of ...（所属部門名（学部、学科、部署など））
Graduate School of ..., ABC University（所属機関名（大学（院）、研究所、企業など））
X-X Otemachi, Chiyoda-ku
Tokyo XXX-XXX
Japan（住所）
Tel & Fax: +81-XX-XXX-XXXX（電話番号／FAX番号）
E-mail: xxxxx@xxxxxxx（Eメールアドレス）

訳

2015年11月25日
Pediatric Dentistry誌
編集長
トーマス・ウェブスター博士

ウェブスター博士

私たちは、「**抗腫瘍剤シクロホスファミドが小臼歯根の発達に与える影響**」と題した原著論文を、*Pediatric Dentistry*誌にて出版することを希望し、原稿を投稿いたします。

小児がん患者の治療に広く用いられているシクロホスファミド等の抗腫瘍剤は、歯根の形成に悪影響を及ぼすとされていますが、その背後にある仕組みはいまだに解

明されていません。私たちは、この薬剤がもたらす影響を解明するために、シクロホスファミドに起因する組織学的変化について、マウスの歯根形成のさまざまな段階で調査を行ないました。

この研究は、シクロホスファミドに起因する影響度が、この薬剤が投与される年齢によって異なることを直接的に示す初めての研究だと思われます。シクロホスファミドを投与された生後18日のマウスにくらべて、同薬剤を投与された生後12日および14日のマウスは、歯胚上皮に損傷が見られ、大部分の骨様象牙質の形成にダメージが見られました。得られた結果によると、これは、成長の初期段階で、歯胚上皮における分化能を持つ幹細胞に深刻なダメージが与えられるためであると考えられます。

私たちは以上の研究結果について、歯根の発生生物学に新たな洞察をもたらすものであると考え、それゆえ貴誌の対象範囲にふさわしいものであると確信しています。

査読者候補として、ポール・スミス博士とテイラー博士をご検討ください。

当論文は、部分的にも全体的にも未発表のものであり、他誌に投稿中でもありません。当論文を貴誌に投稿することに、全著者が同意しています。また、利益相反にあたる事項はありません。

ご連絡をお待ちしております。

敬具

XYZ（Dr.）
…学部［学科／部署］
ABC大学大学院…研究科
郵便番号XXX-XXXX
東京都千代田区大手町X-X
Tel & Fax: +81-XX-XXX-XXXX
E-mail: xxxxx@xxxxxxx

3 ジャーナルとのコミュニケーション

　論文投稿時に編集者に宛ててカバーレターを書く以外にも、著者は、出版プロセスのさまざまな場面でジャーナル編集者とコミュニケーションをとる必要があります。このセクションでは、編集者とコミュニケーションをとる際のコツを、4つの観点から紹介します。

■投稿前の問い合わせ

　Chapter 1で説明したように、投稿前の問い合わせは、論文の投稿先としてそのジャーナルがふさわしいかどうかを確認するときの便利な手段です。

●ここに注意!

- ジャーナルの定める目的と対象領域（Aims and Scope）をよく読むことなく、むやみに問い合わせることは避けましょう。問い合わせをすれば、先方に回答するための時間と手間をとらせることになります。ジャーナル側の時間を尊重し、対象領域をよく読んでもわからない場合のみ、問い合わせるようにしましょう。

- ジャーナルのウェブサイトをチェックして、投稿前の問い合わせに関する手順が定められていないか確認しましょう（ウェブサイト経由かメール経由か、など）。

- ジャーナルが、特定の論文形式に関する問い合わせを受けつけているかどうか確認しましょう。ジャーナルによっては、編集者へのレターや短報に関する問い合わせは受けつけていないところもあります。

- メールで問い合わせるときは、件名を「投稿前の問い合わせ（Pre-submission inquiry）」とし、正式な投稿ではなく、問い合わせであることを明確にしましょう。

- ジャーナルによって、問い合わせにもカバーレターや論文のアブストラクトを要求するところ、図表についての問い合わせも受けつけるところなどがあります。問い合わせの際にどのような情報が必要なのかが具体的に示されていない場合は、論文のテーマ、研究の対象範囲、得られたエビデンスの特徴などを簡潔に伝えましょう（カバーレターやアブストラクトに含める情報とほぼ同じです）。

- 原稿を添付しないようにしましょう。問い合わせの段階で、編集者が論文全体を

チェックすることはありません。論文全体を見てもらうためには、正式な投稿を行なう必要があります。

- 回答がポジティブなものであれネガティブなものであれ、この時点でのジャーナルの見解は、必ずしも論文のアクセプトやリジェクトを決めるものではないことを覚えておきましょう。問い合わせは単に、あなたの研究テーマとその意義が、あるジャーナルの対象範囲に入るかどうかという観点で、ジャーナルの意見を聞くものです。この段階では、論文の科学的側面は検討されません。

■原稿のステータスの追跡

ジャーナルに論文を投稿したら、編集者から判定結果を聞くまで、数週間から数か月の間、やきもきしながら待つことになります。投稿した論文の進捗状況を知りたいと思うのは当然のことです。

● ここに注意!

たいていのジャーナルは、投稿プロセスをスムーズにするために、オンライン投稿システムを導入しています。こういったシステムでは通常、自分の原稿が今どの段階にあるのかを、オンライン上で追跡できるようになっています。焦って論文のステータスを問い合わせる前に、この追跡システムについて理解しましょう。

論文のステータス表示は、ジャーナルや出版社によって少しずつ違いますが、投稿から最終的なアクセプトまたはリジェクトまで、追跡システムがフォローする段階は、おおむね以下のとおりです。

- **投稿済み（Manuscript Submitted）**
論文が無事に投稿されたことを示します。

- **初回判定中（With Editor）**
担当編集者が、査読に進めるかどうかを決めるための初回判定を行ないます。

- **査読中（Under Review）**
編集者が査読者に論文を送り、査読者が論文を査読している最中であることを示します。通常、ここがもっとも時間を要する過程です。

- **査読完了（Review Complete）**
査読者が編集者に査読結果を報告したことを示します。

- **判定中（Decision in Process）**
ジャーナル編集者が、査読者のコメント、自分の見解、ときには編集委員会の意見にもとづいて、最終判断について検討中であることを示します。

- **修正中（Revise）**
作業はジャーナル側から著者側に移行しています。査読者のコメントにもとづき、修正を行なうよう依頼されていることを示します。

- **完了〈論文とり下げ〉（Completed Withdrawal）**
著者が論文をとり下げたことを示します。別のジャーナルへの投稿は、とり下げを確認するメールを編集者から受けとった後でなければ、行なうことができません。確認のメールを受領する前に、別のジャーナルに投稿すると、二重投稿や同時投稿とみなされる恐れがあります。

- **完了〈リジェクトまたはアクセプト〉（Completed Reject/Completed Accept）**
編集者が、論文をアクセプトするかリジェクトするかの最終判断を下したことを示します。

システム上で示された論文のステータスの意味がわからないときは、ステータスに関する問い合わせをどのように受けつけているかをジャーナルのウェブサイトで確認した上で、担当者に説明を求めましょう。

ときどき、論文のステータスが長期間にわたって「判定中」と表示されていることがあります。また、オンライン追跡システムを導入していないジャーナルもあります。こういった場合によく受けるのが、「どれくらい待ってから問い合わせればよいのか」という質問です。

できれば投稿前に、ターゲットジャーナルのレビューの流れとそれにかかる時間を確認し、どれくらい待てばよいのか心の準備をしておくとよいでしょう。たとえば、ジャーナルのターンアラウンドタイムが投稿から90日なら、その期間をすぎればジャーナルに問い合わせをしても問題ありません。

ターゲットジャーナルがレビュー期間に関する情報を公開していない場合や、投稿論文のステータスを知る手段がない場合は、少なくとも4週間は辛抱強く待ちましょう。4週間がすぎたら、判定結果の出る時期や原稿のステータスについて、ジャーナル編集者に問い合わせても差し支えありません。メールは丁寧な文面で送りましょう。

■査読コメントへの対応

　査読者からの質問や懸念事項への対応は、大変重要です。対応次第では、条件つきアクセプトの判定が、リジェクトに変わってしまう可能性もあるからです。

●ここに注意!

● 回答を作成する前にひと呼吸置く
　査読コメントが大幅な修正を要求していても、それを苦々しい思いでそのまま受け入れる必要はありません。思わず腹がたってしまうのは、自然な反応です。まずはひと呼吸置いて、コメントを客観的に注意深く読み直し、査読者の指摘内容をしっかり理解するようにしましょう。

● 整理して1つ1つ対応する
　査読コメントを秩序立てて分類しましょう（例 重要性の高いものと低いもの、大幅な修正が必要なものと些細な修正で済むもの）。
　ジャーナル編集者と査読者が見直しやすいように、その分類にしたがって対応しましょう。
　査読者の指摘に番号をふり、順番にとり組みます。「査読1」、「コメント1」のような見出しをつけるとよいでしょう。こうすることで、著者がどのように対応したのかを、編集者や査読者が確認しやすくなります。査読者からのすべてのコメントに（場合によっては編集者からのコメントにも）対応するよう求められていることを忘れないようにしましょう。

● 細部に気を配る
　各コメントにどのように対応したかを説明する際は、細かな点が重要です。たとえば、査読者からデータの追加や解釈の再検討を求められ、それに対応した場合は、実施した試験や得られた結果について述べると同時に、この情報をどこに追加したかを伝えるようにしてください。
　査読者の提案にしたがうときは、回答のファイルに追加や修正を行なった文章をコピー・アンド・ペーストするなどして、編集者と査読者がファイル間を移動する手間を省けるよう配慮するのもよいでしょう。変更箇所も明示しましょう（例 page 5, line 12）。

● 不用意に同意しない
　必ずしも、査読コメントに同意することが前提とされ、同意を強いられているわけ

ではありません。「ジャーナル編集者は査読者の提案をすべてとり入れることを期待しているはず」という誤った認識を持って対応するのはやめましょう。これはあなたの研究であり、結局はあなたの業績に跳ね返ってくることになります。

● **場合によっては、同意しないことを合理的に伝える**

査読コメントに同意しないときは、不同意の旨をはっきりと伝え、説得力のある理由を述べましょう。査読者が間違っているように思えても、必ずしも著者が正しいとは限らないということも、念頭に置いておきましょう。

たとえば、査読者が何かを誤解し、それについて質問してきたとします。その結果、説明の曖昧な箇所や、記載漏れ、強調の足りない部分などが浮き彫りになってくることがあります。

査読者がどのように間違っているかを説明しようとするのではなく、論文を改善し、査読者を納得させるために何ができるかを最優先に考えることが大切です。査読者があなたの論理の筋道を理解しやすいように、できるだけ詳しく説明することを心がけましょう。可能であれば、自分の主張を援護するために、出版済みの論文を引き合いに出すのも一案です。

● **丁寧な態度を保つ**

査読者はあなたの論文についてコメントしているのであって、あなた自身についてコメントしているわけではありません。回答のなかに、嫌味や不快感を表さないようにしましょう。コメントに同意しない場合も、つねに礼儀正しい態度を保ちましょう。

● **査読者に感謝する**

査読者は、自分の時間を割いて無報酬であなたの論文を査読しています。著者の研究をよいものにする手伝いをしたいというのが、ほとんどの査読者の思いです。彼らのアドバイスをしっかり活かしましょう。詳細な査読コメントが長々と列挙されたリストは、査読者があなたの論文をじっくりと評価し、建設的なフィードバックを与えてくれている証しです。査読者の厚意と骨折りに、感謝しましょう。

Column　査読コメントへの回答の一例

Reviewer 1
（査読者1）

Comment #1: The title only mentions citronella oil, but you have used others too in your experiment.
（コメント1：タイトルにはシトロネラ油しか記載されていませんが、実験ではほかのものも使われています。）

Response: We have used the general term "essential oils" in the title (line 4).
（回答：タイトルでは「精油」という総称を使うよう修正しました（4行目）。）

Comment #2: One major problem is that you have not mentioned if you assessed the economic feasibility of this method. Please provide this information.
（コメント2：大きな問題の1つは、この方法が経済的に実現可能かどうかについて評価したのかが言及されていないことです。この点についての情報を提出してください。）

Response: We thank the reviewer for this pertinent suggestion. Application of citronella oil costs 0.06USD/kg and the AhR-based medium costs 0.09 USD/kg. Thus, the total cost of storage with application of this oil was 0.15 USD/kg. We have included the following sentences in the revised manuscript (line 256 and lines 285-286):
"The cost of application of citronella oil was 0.06 USD/kg, and that of using the AhR-based medium was 0.09 USD/kg. Thus, the total cost of storage with application of this oil was 0.15 USD/kg, making this method a more feasible option than those currently in use."
（回答：もっともなご指摘に感謝します。シトロネラ油の使用には1キロあたり0.06米ドル、AhR由来の油は1キロあたり0.09米ドルかかります。したがって、この油を使った保存にかかる費用は合計で1キロあたり0.15米ドルでした。修正原稿に以下の文章を追加しました（256行目と285〜286行目）。
「シトロネラ油の使用には1キロあたり0.06米ドル、AhR由来の油は1キロあたり0.09米ドルかかるため、この油を使った保存にかかる費用は合計で1キロあたり0.15米ドルかかる。したがって、現在使われている方法にくらべ、この方法はより実現可能だと言える。」）

Comment #3: Please explain why you did not test 0% AhR?
（コメント３：0% AhR で試験を行なっていない理由は何でしょうか？）

Response: QP, as a storage medium, has good air permeability and water absorbability, but its water-retention capacity is poor. When QP containing no AhR is used for storage, water trickles to the bottom of the container. Thus, vegetables in the upper half of storage containers wilt and those in the lower half rot. Therefore, we did not test 0% AhR.
（回答：貯蔵媒体としてのQPは、透気性と吸水性は十分ですが、保水機能が乏しくなります。AhRを含まないQPを貯蔵に利用すると、容器の底に水が溜まります。したがって、貯蔵容器の上にある野菜はしおれ、下にある野菜は腐敗します。0% AhRで試験を行なわなかったのは、このためです。）

■再投稿

　編集者や査読者の提案にしたがって修正が済んだら、原稿を再投稿します。再投稿は、最初の投稿にくらべればずっと楽な作業です。それでもジャーナルの判断は依然として保留されており、ジャーナルのコメントにどう対応したかがこれから評価されるのですから、気を抜くことはできません。

●ここに注意！

- **再投稿にふさわしいカバーレターを用意する**

　査読者の尽力に対して感謝を述べる言葉ではじめるのもよい案です。とくに、査読コメントが洞察に富み、詳細にわたっている場合は、そのことに対する感謝の意を表しましょう。また、全体としてコメントにどう対処したかを述べる１、２文を入れましょう。プロフェッショナルで礼儀正しい態度を保ってください。再投稿時のカバーレターの例をAppendixに掲載しています。

- **査読コメントに対する回答 一覧を用意する**

　ジャーナルが、コメントへの回答をカバーレターに書くよう求めているのか、それとも別紙に書くよう指定しているのかを確認しましょう。すでに述べた注意事項をしっかり守りましょう。

- **修正原稿を指定の形式で提出する**

　原稿の修正箇所をどのように示せばよいかが判定通知に明記されていない場合は、

ワープロソフトの変更履歴を記録する機能を使うか、本文をハイライトするか、文字に色をつけるかなどを編集者に確認しましょう。修正の仕方に関するガイドラインがあれば、確実にしたがいましょう。ジャーナルのなかには、すべての修正を反映した完成版と、修正箇所がわかるようにしたバージョンの、2とおりのファイルを提出するよう求めているところもあります。

● 要求された追加のデータや書類を提出する

　査読者から、ある実験を再度行なうことや新しい実験を行なうことを提案され、それにしたがった場合は、必ずすべての追加データを本文中や添付ファイルなどの適切な形で報告するようにしましょう。

ジャーナル編集者の言葉

エレ・V・ゴールドマン Helle V. Goldman
Polar Research（ノルウェー極地研究所が発行する、複合領域を扱う査読つき国際ジャーナル）の編集長を長年務める

修正原稿に添えるレターの最後に、「査読者から要求されたすべての修正に対応したので、速やかに論文がアクセプトされることを願います」のように強気なことを書くのはお勧めできません。もちろん卑屈な態度をとる必要はありませんが、丁寧な態度を示すのが適切です。「投稿論文について、追ってご連絡いただければ幸いです。さらにご質問やご指摘がありましたら、ご連絡ください」（We look forward to hearing from you in due time regarding our submission and to responding to any further questions and comments you may have.）などと締めくくったほうが好印象です。

4 ORCIDやソーシャルメディアで露出度を高める

■ORCIDとは何か

　ORCID（オーキッド、Open Researcher and Contributor ID）は、あらゆる組織、分野、地域の研究者に単一の識別子を割りあてることを目指す、非営利組織によるコミュニティ主導型のとり組みです。

　これはちょうど電子ファイルをDOI（Digital Object Identifier）で識別し、書籍をISBN（International Standard Book Number）で識別するように、研究者を固有のORCIDによって識別するという仕組みです。およそ200万人の研究者がすでに固有のORCID IDを取得しており、その記録情報は約500万件の固有のDOIに紐づけられています。

　ORCIDがないと不都合が生じるケースとして、次のような例が想定されます。

- 分子生物学の分野にS. Watanabeが複数名存在する。
- J. Smithは結婚後、J. Porterという名前で論文を書くことにした。
- E. W. Blackは、著者名をうっかりE. Blackと表記していくつかの論文を出版してしまった。
- Park, Kuen-Yongは、今後はKuen-Yong Parkと表記することにした。

　上記のようなケースに心あたりがあれば、ORCIDへの登録を検討しましょう。ORCIDは16桁の固有の番号で、あらゆる出版物を真正な著者と正確に対応させます。著者名の表記が統一されていなくても、問題ありません。

　さらに、ORCIDはオープンなデータベースなので、自分の研究活動に関する情報を掲載することもできます。プライバシー設定によって、自分のコンテンツにアクセスできる人を制限することも可能です。登録する研究者の数は年々増えているため、ゆくゆくは、研究コミュニティにおける分野や地域を超えたコラボレーションを促進するプラットフォームになるでしょう。ORCIDの履歴は、ほかのネットワークや連携システムと同期させることもできます。

　また、多くの資金提供者、出版社、学術機関が、それぞれのワークフローのなかでORCID IDを収集しています。したがって、ORCID IDを持っていると個人情報や職務経歴を手動で入力する必要がなくなり、これらの組織への助成金申請や論文投稿が迅速に行なえるようになります。

ORCIDのホームページ画面(http://orcid.org/)

■ソーシャルメディアを活用する

　優れた研究を広く知らしめる手段として、長年定着している従来の出版プロセスに代わる方法は、今のところまだありません。しかし、学術界に自分の発見や業績を知ってもらうためには、旧来のやり方だけにこだわる必要はありません。ソーシャル・ネットワーキングのウェブサイト、ブログ、研究者用のディスカッションフォーラムなどを通じて、自分の研究を発信することも可能です。

　たとえば、新たに出版された論文のリンク先をソーシャルメディア上でシェアすれば、数時間どころか数分のうちに、ジャーナルの読者以外の幅広い著者とつながることができます。研究に特化したソーシャル・ネットワーキングのサイトもあるので、そこでプロフィールを作成すれば、自分の論文の引用回数を追跡し、改善につなげることもできます。

　このようなフォーラムやツールには、以下のものがあります。

フォーラム／ツール	用途
ResearchGate	研究者用のソーシャル・ネットワーキング・サービス（SNS）
Mendeley	文献管理ツール／研究者用SNS
Academia.edu	論文を共有するためのプラットフォーム
Google Scholar	学術論文検索サービス
Google Docs	オンラインで論文を共有できるサービス
SlideShare	オンラインでプレゼンテーションファイルを共有できるサービス
LinkedIn	ビジネス特化型SNS
Facebook	一般向けSNS
Twitter	一般向けSNS

　ソーシャルメディアを活用すれば、自分の研究の発展に役立つだけでなく、分野の最新文献の情報が得られ、関心のある研究テーマについての議論に参加することもできます。また、ネットワークを構築し、共同研究の相手を探し、雇用の機会を探すことも可能です。

5 論文投稿とジャーナルとのコミュニケーションに関するFAQ

最後に、論文の投稿とジャーナルとのコミュニケーションについて、よくある質問とその回答を紹介しましょう。

Q

投稿前に、複数のジャーナルに問い合わせをしても問題ないですか。

A

投稿前の問い合わせは、正式な投稿ではありません。言ってみれば、ジャーナルがあなたの論文を評価の対象とするかどうかいまひとつ自信が持てないときに、ジャーナルの意向を推し量るための行動です。問い合わせをして、たとえジャーナルから好意的な回答を得たとしても、必ず論文を投稿しなければならないわけではありません。よって、複数のジャーナルに問い合わせをしても、まったく問題ありません。

ただし、複数のジャーナル編集部があなたの問い合わせに対応するために時間を費やすことになるのを忘れないようにしましょう。相手の時間を尊重し、問い合わせるのは本当に判断に迷うときだけにしましょう。

Q

ジャーナル編集者から、査読コメントとともに判定結果のレターが送られてきましたが、2人の査読者の指摘が真っ向から対立しています。片方の査読者の指摘にしたがえば、もう一方の査読者が気を悪くするのではないかと心配です。どちらか一方の意見にしたがうべきでしょうか、それとも安全策として中立的な立場をとるべきでしょうか。原稿を修正し、査読コメントへの回答を用意する期間は、2週間しかありません。やや混乱しているので、助言をお願いします。

A

コメントに1つずつとり組んでいきましょう。編集者に、回答期限を延ばせないか相談してみてください。

まずは、完全に矛盾しているコメントと、些細な食い違いにすぎないコメントに分けましょう。大筋でだいたい同じことを言っているものからとり組みます。

矛盾したコメントを無理矢理すり合わせようとしたり、どっちつかずの立場をとったりすることは避けましょう。そのようなことをすれば、あなたの原稿に傷がつくことになります。どちらの査読者の提案を受け入れるべきか、合理的な判断を下してください。受け身にならず、コメントへの回答のなかで、自分の判断

についてはっきり説明しましょう。

　カバーレターには、相互に矛盾するコメントがあったので自分なりに判断して対応した、ということを明記しましょう。

　特定のコメントについて疑問があれば、編集者に対応の仕方を仰いでも問題ありません。このようなケースでは、ジャーナル編集者が第3の意見を提示してくれることもあります。

Q
　あるジャーナルから論文をリジェクトされました。その後、大部分を修正して、半分以上が新しいデータになりました。この修正原稿を、同じジャーナルにあらためて投稿することは可能ですか。

A
　修正した論文に、相当量の新しいデータや解釈が含まれるのなら、新たな投稿として受けつけてもらえるかどうか、ジャーナルに問い合わせてみる価値があります。

　すぐ投稿するのではなく、事前に問い合わせることをお勧めします。「論文はすでに一度リジェクトされているが、その後、大幅な修正を行なった」ということを伝えた上で、修正後の論文を受けつけてもらえるかどうか尋ねてみましょう。

　参考用に、前回の投稿時の情報も伝えてください。論文をどのように修正したのかということと、ジャーナルにふたたび検討を依頼する理由を、詳しく説明しましょう。

あとがき

　以前、エディテージに英文校正を依頼したある日本人著者の方から、校正者の修正について質問が届きました（校正者は、perforation（穿孔）という単語の後ろにあった前置詞 into を削除していました）。修正した理由を簡単に説明したところ、丁寧なお礼の返事とともに、「修正理由については釈然としませんが、自分は英語ネイティブではなく、自然な英語の使い方に関する理解力が乏しいので、校正者の判断を信じます」というコメントが返ってきました。

　私たちは、依頼者が必要としていたのは単なる修正理由ではなく、英語表現について自分で判断を下せる指針だったのだと気づきました。その方は、ネイティブのように英語を理解して使いこなすスキルがないと感じ、落ち込んでいたようです。どれほど語法の説明を尽くしたところで、また同じ問題に行きあたったでしょう。これでは校正者として有益な情報を提供したとは言えません。

　私たちはすぐに行動を起こしました。校正者が使っているオンラインのリソースをいくつか紹介し、なぜ perforate という単語の後ろに前置詞 into を使えないのかについて、確認する方法を詳しく説明したのです。

　するとすぐに返事が届き、私たちのアドバイスが大変役にたったと書かれていました。いささか気弱になっていた依頼者の方は心底感激し、ふたたび前向きになったようでした。私たちは、ただ誤りを指摘するだけでなく、自ら実践できる方法を伝えることができたのです。

　著者の方たちとのこうしたやりとりは、英語に関することであれ、出版に関することであれ、エディテージのスタッフにとって大きな刺激となります。このケースのように、著者の皆さんが自らミスに気づく力をつけてほしい――本書にはそんな願いが込められています。

　そう、本書を読むことは、自主学習のはじまりでしかありません。なぜならこの本は、基本的な情報を集約したものにすぎないのですから。本書をどれだけ役立てられるかは、読者の皆さんにかかっています。示された説明を実際に試し、紹介されたツールやリソースを使い、与えられたヒントを参考に自分だけのチェックリストやテンプレートを作ってみましょう。

　大いに調べ、振り返り、実践してください。皆さんの出版への努力が、実を結びますように！

問題にトライ　解答・解説

Chapter 1

p.30

解答 ①②③すべて

解説 ①たとえ出典を明記していたとしてもこれは著作権の侵害にあたるため、非倫理的行為とみなされます。②研究を監督しただけの人には著者資格がありません。③あらゆる患者や被験者のプライバシーは厳重に保護されなければなりません。これは非倫理的な行為です。

p.41

解答 ②

解説 出版社の所在地や編集委員の所属先がジャーナルのウェブサイトに掲載されていない場合、その出版元は信用できない可能性が高いです。このような場合は慎重に対応し、投稿を検討する前に、そのジャーナルの信頼性を検証しましょう（可能であればジャーナルに連絡をとって情報を集めましょう。また、経験豊かな同僚の意見を聞くのもよいでしょう）。①と③は、怪しげなジャーナルを見分ける際の判断基準にはなりません。著名なジャーナルで原稿の判定に4〜6か月かかるのは、よくあることです。自分の症例報告に重要な意義があるという確信があれば、厳選した症例報告しか載せないというジャーナルに投稿してみるのもよいでしょう。

Chapter 2

p.49

①解答　a

We used a Au electrode with a 2-mm diameter.

（直径2 mmのAu電極を使った。）

解説　これは "an *ay-yoo* electrode" ではなく、"a gold electrode" と発音します。もしワープロソフトのスペルチェック機能でa Auがエラー表示されても、無視しましょう（このようなエラー表示は、スペリングと用法の大まかなルールが機械的に適用され、文法上の約束事が正確に識別されていないことによるものだと思われます）。

②解答　a

Figure 1 shows the seasonal changes in wind parameters as represented on images taken by a NASA satellite.

（図1はNASAの衛星画像に示された風パラメータの季節的変動を表す。）

解説　NASAは、"*en-ay-es-ay*" ではなく、1つの単語として "*nah-sah*" と発音します。

③解答　a

Professor Li received a university grant for this study.

（リー教授はこの研究で、大学の助成金を受けた。）

解説　universityの発音は、子音 "*yoo*" ではじまります。

④解答　an

This method involved the use of an yttrium garnet crystal.

（この手法では、イットリウム・ガーネット結晶を使用した。）

解説　yttriumは"it-ree-um"と発音し、最初の音は母音です。
⑤ 解答　an
Our report describes the case of an 82-year-old woman who sustained fractures after a total hip arthroplasty.
（我々の報告書は、人工股関節全置換術後に骨折した82歳の女性の事例について述べている。）
解説　この場合、82という数字はスペルアウトしたとおりに"eighty-two"と母音ではじまります。

---

p.52

解答　knowledge 不可算名詞、modification 不可算名詞／可算名詞、radiography 不可算名詞、fuel 不可算名詞／可算名詞、velocity 不可算名詞／可算名詞、information 不可算名詞、circulation 不可算名詞／可算名詞、temperature 可算名詞、treatment 可算名詞、trial 不可算名詞／可算名詞、analysis 不可算名詞／可算名詞、substance 可算名詞

解説　上に解答を記しましたが、ぜひ辞書を引いてそれぞれの単語はどのような使い方をするのか確認しましょう。

---

p.63

① 解答　The present report aims to clarify the recruitment pattern of *S. alba* and to explain how *S. alba* communities formed and developed on the Pacific Islands.
（本報は、*S. alba*の漸増パターンを解き明かし、その群れが太平洋諸島でどのように形成され発展したのかを説明することを目的とする。）
解説　present reportはこの場合、ほかのどの報告書でもない、ある特定の報告書を指しています。また、of *S. alba*がpatternを説明し、何の漸増パターンについて述べているのかが明確になっています。したがって、これらの2か所にはいずれもtheが入ります。また、島群の固有の名前（ここではthe Pacific Islands）にはtheをつけます。単独の島の名前には通常theをつけないので、注意しましょう（Christmas Island クリスマス島）。

② 解答　A fifty-year-old woman was referred to us for a mass in the right submandibular region; it had enlarged in the past six months.
（50歳の女性が、右顎下部のしこりのため当病院にまわされた。それは過去6か月間で肥大していた。）
解説　ここでは、特定のfifty-year-old woman（50歳の女性）およびmass（しこり）について述べているわけではありません。したがって、これらの前にはaをつけます。right submandibular region（右顎下部）は身体の部位の名称なので、theをつけます。past six months（過去6か月間）は、特定の6か月間を指すので、theを使う必要があります。

③ 解答　No data were available for the following national parks and sanctuaries: Periyar, Corbett, and Tadoba.
（次の国立公園および保護区域、すなわちペリヤー、コーベット、タドバに関するデータは存在しなかった。）
解説　followingがあることにより、列挙される事柄が特定されます。この文では、コロンの後に続く特定の国立公園や保護区域について述べているので、theを置くのが正解です。

④ 解答　Tungiasis was first recorded in Central and South America in 1623, and the causative

267

pathogen later spread to Africa, Madagascar, and Asia through ship routes.

（スナノミ症は中米と南米で1623年に初めて確認された。原因となる病原体はその後、船の航路を通じてアフリカ、マダガスカル、アジアに伝播した。）

解説　スナノミ症という病気についてあらかじめ言及されているので、causative pathogen（原因となる病原体）は、その病気を引き起こす病原体のことを言っていると推測できます。したがって特定性が生じるので、theが必要です。

⑤解答　Under the guidance of Dr. Jones, a professor in the Department of Psychiatry at Nazareth Hospital, we examined the prevalence of mental disorders among refugees in these camps.

（ナザレ病院精神科の教授であるジョーンズ博士の案内で、これらのキャンプの避難民の間に広がる精神障害について調査した。）

解説　of Dr. Jones、of Psychiatry、of mental disordersはどれも、それぞれguidance、department、prevalenceという名詞の修飾句です。よって、これらの名詞は特定されるので、それぞれの前にはtheがつきます。professorの前がaになるのは、一般的な肩書きとしてのprofessorについて述べているためです。ここでもしtheを使ってしまうと、その診療科の教授はジョーンズ博士1人しかいないという意味になってしまいます。

······· p.73

①解答　is

Scientific knowledge of the risk factors for these diseases is limited.

（これらの病気のリスク要因に関する科学的知識は限られている。）

解説　この文の主語は、単数扱いのknowledgeです。

②解答　is

The design of the pressure relief valves is described in the next section.

（圧力逃がし弁の構造については、次の節で説明されている。）

解説　この文の主語は、単数のdesignです。

③解答　were

The genera to which the specimens belonged were determined after the collection.

（その標本がどの属に該当するものであるかは、採集後に判定された。）

解説　generaはgenusの複数形なので、動詞も複数形にします。

······· p.75

①解答　was maintained

The concentration of Cu was maintained at 100 mM by adding the catalyst.

（触媒を加え、銅の濃度を100 mMに保った。）

解説　銅の濃度は、銅自身が保っているわけではなく、研究者によって保たれています。したがって、受動態を使う必要があります。

②解答　dry

The increased airflow in the air-conditioned room caused the skin of the face to dry.

（空調のきいた部屋で空気の流れが増えると、顔の皮膚が乾燥した。）

解説　誰かが顔の皮膚を乾燥させているわけではありません。空気の流量が増えたことによって、自然に乾燥するのです。したがって、受動態 to be dried ではなく、能動態 to dry を使います。

③ 解答　are discharged

Cardiac patients may require life support even after they are discharged from the hospital.

（心臓病患者には、退院後も生活支援が必要とされるかもしれない。）

解説　患者は自らの判断で退院するのではなく、医師の判断によって退院させられます。

---

p.82

解答　all my research

（私のすべての研究）

解説　all や both といった単語は、my や their などの代名詞の前に置きます。

解答　two distinct processes

（2つの別個のプロセス）

解説　数詞（ここでは two）または助数詞は、形容詞（ここでは distinct）の前に置きます。

解答　the five soil samples obtained from this site

（この現場からは5つの土壌サンプルを採取した。）

解説　定冠詞は数詞の前に置きます。

解答　the 7-point Likert scale

（7段階のリッカート尺度）

解説　7-point はリッカート尺度の種類を表しているため、scale の前に置きます。

解答　all the 10 prefectures

（10の全都道府県）

解説　all は定冠詞の前に置きます。

解答　The nature of donor ligands directly affects the polymerization behavior.

（ドナー配位子の特性は、重合挙動に直接影響を与える。）

解説　副詞は、できれば動詞（affects）とその目的語（the polymerization behavior）の間に置かないようにすることが望ましいです。X affects Y directly または X directly affects Y と言うことはできますが、X affects directly Y とは言えません。

---

p.91

解答　②と③

解説　①の samples は可算名詞なので、複数形で合っています。②の information は数えられないので、one information や 10 informations のように言うことはできません。この文は、an をとり除けば正しい形になります。③の plasma は数えられないので、seven plasmas と言うのは間違いです。Seven plasma samples were collected from ...（…から血漿のサンプルを7点採取した）のように修正できます。なお、①の訳は以下のとおりです。

Twenty samples of soil were collected.

（土壌サンプル20点を採取した。）

········· p.101

①解答　The patient was referred to the neurologist with a constant pain in the temples.
　　　　→The patient experienced constant pain in the temples and was referred to a neurologist.
　　　　(その患者はこめかみに絶え間ない痛みがあったため、神経科の医師にまわされた。)
　解説　もとの文は、神経科の医師のこめかみに絶え間ない痛みがあったように読めてしまい、不自然です。neurologistの直後にwith a constant pain in the templesを置かないようにし、何パターンかに書き換えることが可能です。

②解答　Of the 35 soil samples, we focused on those collected in week 3.
　　　　→Of the 35 soil samples, those collected in week 3 were focused on.
　　　　(35点の土壌サンプルのうち、3週目に採取したものに注目した。)
　解説　ここでは、修飾句of the 35 soil samplesをweの直前に置いている点が不適切です。those collected in week 3の直前に置きます。

③解答　Three individuals were reported by Smith et al. carrying this mutation.
　　　　→ Three individuals were reported by Smith et al. to be carrying this mutation.
　　　　(Smithほかは、3名にこの変化が起こったことを報告した。)
　解説　もとの文では、Smithほかが変化したように読めてしまいます。修飾句のcarrying this mutationをSmith et al.の直後に置かないように修正します。

········· p.103

解答　②と③

①instruments that are accurate, portable, and inexpensive
(精密で、持ち運び可能で、リーズナブルな価格の計器)

②examinations such as urine analysis, complete blood cell count, serum electrolyte levels, blood glucose levels, and electrocardiography
→examinations such as urine analysis, complete blood cell count, electrocardiography, and tests for serum electrolyte levels and blood glucose levels.
(尿検査、全血球計算、心電図検査などの検査と、血清電解質濃度および血中グルコース濃度の測定)

③psychological illnesses, including depression, anxiety, and substance abuse
→psychological illnesses, including depression, anxiety disorder, and substance abuse
(うつ病、不安障害、薬物乱用などの精神的病)

　解説　①で挙げられている項目は、並列の関係になっています。accurate、portable、inexpensiveはすべて形容詞です。②のserum electrolyte levels と blood glucose levelsは検査ではありません。③のanxiety（不安）は病名ではありません。

········· p.108

①解答　acute respiratory distress syndrome patients
　　　　→patients with acute respiratory distress syndrome
　　　　(急性呼吸不全症候群の患者)

②**解答** a complex prevailing trade wind pattern
→a complex pattern of the prevailing trade wind
(卓越貿易風の複雑なパターン)
③**解答** front-projection display multi-user touch technology
→multi-user touch technology for a front-projection display
(前面投射型ディスプレイのマルチユーザータッチ技術)

········ p.110
解答 Reports that describe depressive factors in patients, including those who were diagnosed with cardiovascular disease, were selected.
→We selected reports that describe depressive factors in patients, including those who were diagnosed with cardiovascular disease.
(患者(心臓病と診断された患者を含む)の抑うつ症状の要因について説明した報告書が選ばれた。)

········ p.128
①**解答** attributed
The discrepancy between these results can be attributed to the differences in the methodology.
(これらの結果の不一致は、方法論の違いによるものだ。)
解説 attribute A to Bは、「Aの原因はBである(AはBの結果である)」ことを表し、B contribute to Aは、「BはAの原因の1つである」ことを表します。ここでは、「結果の不一致の原因は方法論の違いである」と言っているので、attributeが正解です。contributeを使う場合は、次のように書くことができます。
The differences in methodology contributed to the discrepancy between these results.
(方法論の違いは、結果の不一致をもたらした原因の1つだ。)
この場合、方法論の違いは、複数の原因のうちの1つだということに注意しましょう。
②**解答** isolated
Since the student was suspected to have infectious tuberculosis, he was isolated from others in a private room.
(その生徒には感染性結核の疑いがあったため、個室に隔離された。)
解説 insulateは、たとえば熱などの要素から何かを保護することです。isolateは、人や物を別の場所に留め置き、ほかから離しておくことです。
③**解答** confirm
We performed another experiment to confirm the energy density of the three beams.
(3種のビームのエネルギー密度を確認するために、別の実験を行なった。)
解説 conformは指示・規範・ルールにしたがうこと。confirmはあるものが正しいことを検証または立証することです。
④**解答** prevalent
Lathyrism is a highly prevalent neurological disorder in this region.

(ラチリズムはこの地域で非常によく見られる神経障害だ。)

解説 popularは、多くの人から好まれたり、使われたり、認められたりしている人や物事を表すときに使います。prevalentは、普及している習慣や信条、あるいはよく知られた病気や蔓延している病気について述べるときに使います。

⑤解答 interplay

Depression in adolescents results from the interplay between several factors.
(青少年のうつ病は、複数の要因の相互作用によるものだ。)

解説 cooperationは人々がともに活動する行為を指しますが、interplayは2つ以上のものがたがいに影響し合い、作用し合う状態を表します。

⑥解答 delegate

We used the questionnaire to examine the willingness of doctors to delegate responsibilities to nurses.
(我々は、医師が看護師に権限を委譲することに前向きであるかどうかを知るため、そのアンケート調査を用いた。)

解説 discharge a responsibilityは、ある責任を果たすために必要なことをするという意味です。delegate a responsibilityは、ある責任を誰かに付与するという意味です。

.... p.130

①解答 administered

The patient was administered ibuprofen 600 mg once daily for a week.
(その患者は、1週間にわたって1日1回600 mgのイブプロフェンを投与された。)

解説 administrateも動詞ですが、これは組織やイベントを運営する際に使います。薬について述べるときは、administerを使います。

②解答 strength

This experiment confirmed the increase in the strength of the tensile bond at the interface.
(この実験で、境界面での引張接着強さの上昇を確認した。)

解説 strongnessはstrongの名詞形の1つですが、あまり使われない単語で、論文で接着状態や効能などを表す場合にも使いません。strengthが正解です。

③解答 ease

We conducted a questionnaire survey to determine the ease of using the new system.
(我々は、新システムの使いやすさを見極めるためのアンケート調査を実施した。)

解説 何かを行なう際の快適さや便利さについて述べるときは、easeを使います。

.... p.132

解答 ①

①From a newspaper clipping: The controversial plan to move the headquarters to a different city was reportedly the chairperson's idea.
(新聞記事から。本社を他市へ移転させるという、物議をかもしている計画は、会長案と報じられている。)

解説　reportedly は、聞き知った内容について述べる際、それが確かな情報ではない場合に使います。よって、新聞で使われることはあるかもしれませんが、論文で使うのはふさわしくありません。

p.135

①解答　propose

The authors propose a **hypothesis** based on their observations.
（著者らは、得られた結果にもとづいて仮説を提示している。）

②解答　report

We reported our **findings** in *the Journal of the American Chemical Society*.
（我々は、得られた結果を米国化学会誌に報告した。）

③解答　pose

These limitations pose major **challenges** in the safe disposal of biohazardous waste.
（これらの制約が、感染性廃棄物を安全に処理する際の大きな課題となっている。）

④解答　provides

This slide provides an **overview** of the survey that we performed.
（このスライドは、我々が実施した調査の概要を示している。）

p.161

解答　③

①Paper sheets of 3 mm^2 were used for this step.
（このステップには 3 mm^2 の用紙を使った。）

②The pressure applied was 4.3 GPa.
（4.3 GPa の圧力をかけた。）

③Finally, 2 mg of cellulose powder was added.
（最後に 2 mg のセルロース粉末を加えた。）

解説　①は、主語（sheets）が複数形なので、動詞も複数形にします。②は、主語の pressure が単数形なので、動詞も単数形の was にします。③の主語は（2 mg）ですが、単位は単数として扱われるので、動詞を複数形の were にするのは間違いです。単数形の was を使います。

p.183

解答　②

①The following points were studied: (1) the level of atmospheric greenhouse gases in the Asia and Oceania regions; (2) terrestrial and oceanic carbon cycle and ecosystem; (3) and impact of climate change in vulnerable areas, such as the cryosphere.
（以下の点について調査した。(1) アジア・オセアニア地域における大気中の温室効果ガス量。(2) 陸域と海域における炭素循環と生態系。(3) 氷雪圏等の脆弱な地域における気候変動の影響。）

③The lysates were centrifuged and supernatant collected; the protein concentrations in the supernatant were then measured.
（ライセート（溶菌液）を遠心分離して上澄み液を採取し、上澄み液中のタンパク質濃度を測

定した。)

解説 ①に誤りのある箇所はありません。列記されている要素が長かったり、要素のなかにすでにカンマが使われていたりする場合（ここでは、3つ目の要素のなかにカンマが使われている）は、セミコロンで区切ることができます。

②は、セミコロンの後にくる文が完全な（つまり、独立した）節になっていない（with the offspring showing partial features of fetal alcohol syndrome）ため、セミコロンの使い方が間違っています。また、セミコロンで複数の要素が分けられているわけでもありません。③は、2つの独立した節をセミコロンで区切っているので、問題ありません。

.... p.187

解答 ②

解説 ①化合物は固有名詞ではないので、大文字にするのは間違いです。タイトルや見出しの冒頭にきたときにだけ大文字にします。②商標名は必ず大文字にする必要があります。③ヘッドラインスタイルを適用する際に、ある単語を大文字にするかどうかは、単語の長短で決まるわけではありません。短い単語をつねに大文字にするというのは間違いです。冠詞、前置詞、andなどの等位接続詞は大文字にしません。

.... p.214

解答・解説 使ったソフトとその開発元の名前が示されていないことと、有意な閾値が示されていないことが問題です。また、係数（coefficient）を分析したのではなく、相関（correlation）を分析したとなっている点も問題です。相関は、係数を分析した結果わかることです。

この文は、次のように書き換えることができます。

Pearson correlation analysis was performed to examine the relationship between radiological and clinical findings by using SPSS 17.0 (SPSS Inc., Chicago, IL). The significance threshold was set at 0.05.

(SPSS 17.0 (SPSS Inc.、イリノイ州シカゴ) を用いてピアソン相関分析を行ない、放射線所見と臨床所見の関係を調べた。有意な閾値は0.05とした。)

.... p.227

解答 ③

①Prevalence of depression in adolescents aged 13 to 18 who have either environmental or psychosocial risk factors in three prefectures in Japan

（日本国内3県における、環境的または心理社会的リスク要因を持つ13～18歳の青少年におけるうつ病の有病率）

②Depression rate in adolescents in Japan

（日本の青少年におけるうつ病の割合）

③Prevalence of depression in adolescents with environmental or psychosocial risk factors in three prefectures in Japan

（日本国内3県における、環境的または心理社会的リスク要因を持つ青少年のうつ病の有病率）

解説 ②は漠然としすぎています。①は冗長で語数が多すぎます（adolescentsという単語で、13～18歳の年齢層であることがすでに示されています）。したがって、③が適切です。

▶ Appendix

チェックリストと
テンプレート

■倫理に関するチェックリスト*

　倫理違反は、故意か無意識かを問わず、論文のリジェクトや撤回につながります。このチェックリストを使えば、倫理に関するさまざまな重要事項を知ることができ、意図せぬ倫理的過ちから自分の身と原稿を守ることができます。

●全分野に関わる一般的なチェックリスト

	倫理に関する問題	すべきこと
☐	剽窃・自己剽窃	自分の過去の出版物も含め、論じたすべての資料を引用したかどうかを確認する。資料の文章をそのまま使うときは、引用符で囲み、出典を明記する。 自分の研究結果の一部がすでに何らかの形（例 予備調査結果）で出版・公表されている場合は、その旨をカバーレターで述べ、出版物のコピーを添える。
☐	同時投稿	論文は、一度に1つのジャーナルにしか投稿してはならない。あるジャーナルから論文をとり下げることを決めたら、ジャーナル編集者からのとり下げ承認を得て初めて、著者はほかのジャーナルに投稿することができる。
☐	二重出版	論文がすでに別の言語で別のジャーナルから出版されている場合は、以下のことを行なう必要がある。 ①論文を出版したジャーナルの編集者から、出版済みの論文を、別のジャーナルで翻訳版として出版する許可を得る。 ②投稿先のジャーナルに論文がすでに別の言語で出版済みであることを伝えた上で、出版済み論文のコピーと、出版元のジャーナル編集者から取得した翻訳出版に対する許可書を提出する。
☐	利益相反の開示	利益相反とみなされる可能性のあるあらゆる金銭的・個人的関係について開示しなければならない。利益相反の可能性がない場合も、その旨を明示する必要がある。
☐	共著者の承認	原稿を提出する前に、共著者全員が原稿の最終版を承認していることを確認する。
☐	図表の再利用の許可	ほかのジャーナルで出版された図表を再利用する場合は、出典を明記するだけでなく、権利保持者（たいていはジャーナル）の許可書を提出しなければならない。

●医学およびヘルスケア分野のチェックリスト

	倫理に関する問題	すべきこと
☐	インフォームド・コンセント	ヒトを対象とした研究を行なう場合は、研究に先立って、登録された被験者からのインフォームド・コンセントを取得しなければならない。患者が未成年である場合や、内容の理解に支障がある場合は、両親または近親者の同意が必要とされる。
☐	治験審査委員会・倫理委員会の承認	ヒトを対象として生体医学または行動に関する研究を行なう場合は、研究開始前に、倫理委員会または治験審査委員会から許可書を取得し、それを投稿パッケージに含めなければならない。
☐	個人情報の保護	文章や写真から患者の身元が開示されることのないよう配慮する。写真を使う場合は、目元など、本人を特定する特徴を隠す。
☐	実験における動物の使用	実験に動物を使う場合は、動物を使用することの正当な理由を述べ、使用する動物の詳細を明記し、プロジェクトで動物を供給し使用することに対する適切な許可書の写しを提出しなければならない。

●物理科学および環境科学分野のチェックリスト

	倫理に関する問題	すべきこと
☐	環境保護と安全	環境への影響を最小限に抑え、健康被害から人間を守るための安全施策の詳細を述べるとともに、地域および国際的な法規制の順守を宣言しなければならない。

＊以下の資料を参考に作成。
http://www.icmje.org/icmje-recommendations.pdf
https://ec.europa.eu/research/participants/portal/doc/call/h2020/h2020-msca-rise-2014/1597696-ethics_issues_table__checklist_en.pdf

■出版計画書テンプレート

　今日のように論文出版の競争が激しい状況で効率的に論文を出版するためには、出版に要する時間がカギです。出版計画をたて、目標を設定すれば、出版というゴールに到達するまでの時間を明確にすることができ、物事を整然と進めやすくなります。以下の出版計画書を使い、各ターゲット・ジャーナルについて出版にかかる時間を見積もってみましょう。

	ジャーナル1 (超有名ジャーナル、出版の確率は低い)	ジャーナル2 (超有名ジャーナル、出版の確率は低い)
原稿の執筆期間	＿＿＿＿＿＿週間 (例 4週間)	＿＿＿＿＿＿週間
原稿提出の準備期間	＿＿＿＿＿＿週間 (例 2週間)	＿＿＿＿＿＿週間
査読期間	＿＿＿＿＿＿週間 (例 12週間)	＿＿＿＿＿＿週間
合計期間	＿＿＿＿＿＿週間 (例 18週間)	＿＿＿＿＿＿週間
累積期間[*]	＿＿＿＿＿＿週間 (例 24週間)	＿＿＿＿＿＿週間
完了予定日	＿＿＿＿＿＿ (例 2017年2月16日)	＿＿＿＿＿＿

[*]最終的に論文が電子版あるいは冊子体として出版されるまでのジャーナルとのやりとり、修正、書類準備などの時間を含んだもの。

執筆開始日：＿＿＿＿＿＿＿＿＿＿＿＿＿＿＿＿＿

出版目標日：＿＿＿＿＿＿＿＿＿＿＿＿＿＿＿＿＿

ジャーナル3 （有名ジャーナル、出版の確率は中程度）	**ジャーナル4** （中堅のジャーナル、出版の確率は中程度、2か月以内に返事がくる）	**ジャーナル5** （確実なジャーナル、出版の確率は高い）
＿＿＿＿＿＿＿＿ 週間	＿＿＿＿＿＿＿＿ 週間	＿＿＿＿＿＿＿＿ 週間
＿＿＿＿＿＿＿＿ 週間	＿＿＿＿＿＿＿＿ 週間	＿＿＿＿＿＿＿＿ 週間
＿＿＿＿＿＿＿＿ 週間	＿＿＿＿＿＿＿＿ 週間	＿＿＿＿＿＿＿＿ 週間
＿＿＿＿＿＿＿＿ 週間	＿＿＿＿＿＿＿＿ 週間	＿＿＿＿＿＿＿＿ 週間
＿＿＿＿＿＿＿＿ 週間	＿＿＿＿＿＿＿＿ 週間	＿＿＿＿＿＿＿＿ 週間
＿＿＿＿＿＿＿＿＿＿＿＿	＿＿＿＿＿＿＿＿＿＿＿＿	＿＿＿＿＿＿＿＿＿＿＿＿

■ジャーナルを選ぶ際のチェックリスト*

投稿先のジャーナルを選ぶのは、気が重い作業かもしれません。とはいえ、自分の論文に合わないジャーナルに投稿すれば、リジェクトされてしまいます。以下のチェックリストを参考にしてジャーナルを比較し、自分に適したジャーナルを選びましょう。

	チェック項目	詳細
☐	対象領域は、自分の論文のテーマにふさわしいか	ジャーナルが注目している研究領域を確認する。詳細はAims and Scope（目的と対象領域）を読む。
☐	自分が提出しようとしている論文形式を受けつけているか	症例報告（ケースレポート）を準備した場合は、そのジャーナルがケースレポートを掲載しているかどうかを確認する。
☐	自分が求める読者層をターゲットにしているか。分野的な偏りはないか	バックナンバーをチェックする。そのジャーナルは総合誌か、専門誌か。その分野での認知度はどれくらいか。特定の分野の論文を掲載しているか。
☐	重要なオンラインデータベースに登録されているか	そのジャーナルは、書誌情報のデータベースや、分野別の一般的データベースに登録されているか。
☐	電子版を発行しているか	冊子体のみのジャーナルでは露出度が限定されるが、オンラインジャーナルなら幅広い読者に向けて発信できる。
☐	インパクトファクターは自分の希望に合っているか	インパクトファクターの数値は分野によって異なるので、同じ分野のほかのジャーナルとの比較に使う。
☐	同僚や研究仲間は、そのジャーナルを、分野における一流誌とみなしているか	ジャーナルの編集委員は、その分野でよく知られた人たちか。そのジャーナルは、その分野で著名な学会が発行、あるいは支援しているものか。先輩研究者はそのジャーナルを読んでいるか。
☐	ターンアラウンドタイム（投稿から出版までの期間）はどれくらいか	査読期間はどれくらいか。投稿から出版まで、長期間待つ必要がありそうか。
☐	年に何号発行されているか	月刊ジャーナルでは論文の査読が比較的迅速に行なわれる。スピードを重視する場合には考慮するとよい。
☐	アクセプト後、間を置かずに出版されるか	オンラインジャーナルでは、冊子体の出版前にオンラインに掲載される場合もある。
☐	論文掲載料について	ジャーナルのなかには、著者に論文掲載料を請求するところもある。その場合は、条件を確認すること。
☐	オープンアクセスを採用しているか	採用しているなら、どのような形式か。どのようなメリットがあるか。

＊出典：論文を投稿するジャーナルの選び方
http://www.editage.jp/insights/how-to-choose-journals-for-submitting-your-paper

■論文投稿時のチェックリスト[**]

投稿の準備に漏れがないかを確認する際に役立つ、簡単なチェックリストです。

	チェック項目	詳細
☐	**原稿のフォーマット** ジャーナルの指示をすべて守っているか	ワード数、余白、ページ番号、行間、本文中の引用形式、参考文献、アブストラクト、ファイル形式（Word、LaTeX、PDF）
☐	**原稿の構成** 原稿の構成は適切か	タイトル、キーワード、アブストラクト、イントロダクション、方法、結果、考察、結論、参考文献、付録、謝辞、注釈、脚注
☐	**文法と文の流れ** 文章は自然で読みやすいか	構文、文法、文体、論理の流れ、わかりやすさ、適切な単語の選択、スペリング
☐	**図表** 図表は適切に準備されているか	ファイルサイズ、明快さ、色、解像度、図表タイトル、図の凡例、グラフの軸ラベル
☐	**事実と詳細** 細部に矛盾はないか	データの整合性、本文と表の数値の一致、記号や測定単位は適切か、本文中の引用と参考文献の対応
☐	**著者情報** 必要な情報がすべて含まれているか	著者の氏名・所属・役職（肩書き）、代表著者の連絡先、（必要に応じて）著者の所属に関する補足事項
☐	**出典と謝辞** 参考文献の出典はすべて明記されているか。あらゆる協力者に感謝を述べているか	出典、引用した文章であることを示す引用符、図表および著作物の再利用に対する許諾書、謝辞
☐	**カバーレター** カバーレターは完璧か。印象的に仕上がっているか	原稿の重要性と影響度、著者情報、投稿しようとする論文の一部または全部に関する過去の出版履歴の開示、（必要に応じ）補足資料の詳細
☐	**利益相反** 利益相反の可能性がある事柄をすべて開示する	何らかの点で利益相反とみなされうる関係性（例 医学研究におけるスポンサー製薬会社など）があれば、投稿時に開示する
☐	**倫理的事項の順守** 研究は関連する倫理ガイドラインにしたがっているか	インフォームド・コンセント、治験審査委員会の承認、動物保護に関するガイドライン、臨床試験登録のガイドライン、環境保護ガイドライン

[**] 出典：論文投稿前に確認すべき10項目
http://www.editage.jp/insights/10-things-you-must-consider-before-submitting-your-manuscript

■カバーレターのテンプレート

_____（提出日）

To

_____（ジャーナル編集者の名前）

Editor-in-chief, _____（ジャーナル名）

_____（ジャーナルの住所）

Dear Dr. _____（ジャーナル編集者の名前）:

My colleagues and I would like to submit the manuscript entitled _____（論文タイトル） for publication in _____（ジャーナル名） as _____（original article、case report、review など論文の形式）.

In this manuscript, we report on _____ _____（扱ったテーマ、得られた2、3の重要な結果、研究の新奇性など）. This paper should be of interest to a broad readership, particularly those who are interested in _____ _____（関連性および密接な関係のあるテーマ、分野、技術など）.

We believe that this paper is appropriate for publication in _____（ジャーナル名） because _____ _____（ジャーナルの目的と対象範囲に言及しつつ、このジャーナルに投稿する理由を説明）.

If the manuscript is considered for peer review, we suggest the following reviewers: _____
（推薦する査読者の名前と連絡先（できればEメールアドレス））.

This work has not been published elsewhere in part or in entirety, and is currently not under consideration for publication elsewhere（論文が未発表のもので、他誌に投稿中でもないことの宣言）. All the authors have approved the submission of this manuscript to your journal（著者の同意が得られていることの記述）. There are no conflicts of interest to declare（利益相反についての報告事項）.

I look forward to hearing from you soon.

Sincerely,

_____ (代表著者の名前)
_____ (所属先)
_____ (住所)
_____ (電話番号・Eメールアドレス)

Attachments:
_____
_____
_____

(原稿、著作権関係の書類など添付ファイルをリストアップ)

訳

(提出日)_____
(ジャーナル名)_____ 編集長
(ジャーナル編集者の名前)_____
(ジャーナルの住所)_____

(ジャーナル編集者の名前)_____ 博士

私たちは、(論文タイトル) と題した (論文の形式) を、(ジャーナル名) にて出版することを希望し、原稿を投稿いたします。

当論文は、(扱ったテーマ、得られた2、3の重要な結果、研究の新奇性など) について報告するものであり、幅広い読者、とくに (関連性および密接な関係のあるテーマ、分野、技術など) に興味のある読者の関心を引くと思われます。

私たちは、(ジャーナルの目的と対象範囲に言及しつつ、このジャーナルに投稿する理由を説明) という理由から、この論文を (ジャーナル名) で出版することがふさわしいと考えます。

この論文を査読していただける場合、査読者として以下の方を推薦いたします。
(推薦する査読者の名前と連絡先（できればEメールアドレス）)

当論文は、部分的にも全体的にも未発表のものであり、他誌に投稿中でもありません。当論文を貴誌に投稿することに、全著者が同意しています。また、利益相反にあたる事項はありません。

ご連絡をお待ちしております。

敬具

(代表著者の名前)
(所属先)
(住所)
(電話番号・Eメールアドレス)

同封物：
(原稿、著作権関係の書類など添付ファイルをリストアップ)

■再提出時のカバーレターのテンプレート

_____(提出日)

To

_____(ジャーナル編集者の名前)

Editor-in-chief, _____(ジャーナル名)

_____(ジャーナルの住所)

Dear Dr. _____(ジャーナル編集者の名前),

My colleagues and I appreciate the opportunity to resubmit our manuscript _____(論文ID) entitled _____ _____(論文タイトル).

We would like to thank the referees for their valuable inputs. We have addressed all the comments to the best of our ability. Please find enclosed a copy of the revised manuscript. _____(どのような方法で修正したかの説明（例 「変更履歴の記録」機能を使った、フォントの色を変えたなど）). We have also enclosed a separate document containing point-by point responses to the reviewer comments. _____(同封した別紙についての説明).

I hope that the revised manuscript is now suitable for publication in your journal, and look forward to your reply.

Sincerely,

_____(代表著者の名前)
_____(所属先)
_____(住所)
_____(電話番号・Eメールアドレス)

Attachments:

_____
_____

(修正原稿、査読コメントへの回答書など添付ファイルをリストアップ)

訳

(提出日)
(ジャーナル名)　　　編集長
(ジャーナル編集者の名前)
(ジャーナルの住所)

(ジャーナル編集者の名前)　　　様

私たちは、(論文タイトル) と題した論文 (論文ID) を再提出いたします。

貴重なご指摘をいただいた査読者の皆様に、心から感謝いたします。すべてのコメントに、最善を尽くして対応しましたので、添付の修正原稿をご確認いただければ幸いです。(どのような方法で修正したかの説明)。なお、査読コメントに対して逐一回答した別紙を添付しています (同封した別紙についての説明)。

修正原稿が、貴誌での出版にふさわしいものに改善されていることを願っています。ご連絡をお待ちしております。

敬具

(代表著者の名前)
(所属先)
(住所)
(電話番号・Eメールアドレス)

同封物：
(修正原稿、査読コメントへの回答書など添付ファイルをリストアップ)

【著者紹介】

エディテージ
Editage

カクタス・コミュニケーションズ株式会社の学術コミュニケーション・サービスブランド。5ヵ国に拠点を持ち、論文の英文校正サービスを主軸に、創業以来、全学術分野にわたる11万人以上の研究者の英語論文執筆と投稿をサポートしてきた。世界最大級の英文校正チームを有し、その校正者の多くがジャーナル受理経験のある医師、あるいは博士号取得者。特に日本を中心とするアジア地域の研究者の学術英語について、豊富な知識と経験がある。

クラリンダ・セレジョ
Clarinda Cerejo

エディテージ・インサイト編集長
企画・構成・内容チェックを担当

ムリガンカ・アワティ
Mriganka Awati

技能・知識管理部門シニア・トレーナー
分析した原稿の評価、データの分析と解釈、本書全体の執筆を担当

ルーヒー・ゴッシュ
Roohi Ghosh

グローバル・トレーニング部門シニア・マネージャー
内容チェックと改善のための提言を担当

シャーロット・バプティスタ
Charlotte Baptista

プロセス改善部門シニア・マネージャー
論文分析のためのサンプルの手配、サンプル抽出方法の設定、データの分析と提示方法の検討を担当

マリーシャ・フォンセカ
Marisha Fonseca

心理学・メンタルヘルス部門編集者
分析原稿の評価を担当

ジフィー・ジェイムズ
Jiffy James

技能・知識管理部門シニア・トレーナー
分析原稿の評価を担当

ビプル・マンカラ
Vipul Manchala

物理科学分野副編集者
「分析！日本人研究者のミス」のグラフ原案作成を担当

【訳者紹介】

熊沢美穂子
Mihoko Kumazawa

1977年東京都生まれ。東京都立大学人文学部独文学科卒。外資系企業（工業検査機関、学術出版社）での勤務を経て、独立。一般文書、ビジネス、広告・マーケティング、新聞・雑誌記事、歌詞対訳など多分野の翻訳を手掛ける。エディテージ・インサイト日本語版編集者。

英文校正会社が教える 英語論文のミス100

2016年2月5日　初版発行

著者　　エディテージ
　　　　©Editage, 2016
訳者　　熊沢美穂子
発行者　小笠原敏晶
発行所　株式会社 ジャパンタイムズ
　　　　〒108-0023 東京都港区芝浦4丁目5番4号
　　　　電話　（03）3453-2013（出版営業部）
　　　　振替口座　00190-6-64848
　　　　ウェブサイト　http://bookclub.japantimes.co.jp
印刷所　日経印刷株式会社

本書の内容に関するお問い合わせは、上記ウェブサイトまたは郵便でお受けいたします。
定価はカバーに表示してあります。
万一、乱丁落丁のある場合は、送料当社負担でお取り替えいたします。
ジャパンタイムズ出版営業部あてにお送りください。

Printed in Japan　ISBN 978-4-7890-1627-8